mince

en

bougeant

joanna **hall**

mince
en
bougeant

UN MOYEN EFFICACE
ET DURABLE
DE PERDRE DU POIDS

Guy Saint-Jean
ÉDITEUR

Catalogage avant publication de Bibliothèque et Archives nationales du Québec et Bibliothèque et Archives Canada

Hall, Joanna, 1967-
    Mince en bougeant
    Traduction de : Exercise yourself thin.
    Comprend un index.
    ISBN 978-2-89455-335-0
    1. Exercices amaigrissants. 2. Perte de poids. I. Titre.
RA781.6.H3414 2010   613.7'12   C2009-941630-1

Nous reconnaissons l'aide financière du gouvernement du Canada par l'entremise du Programme d'Aide au Développement de l'industrie de l'Édition (PADIÉ) ainsi que celle de la SODEC pour nos activités d'édition.

Patrimoine Canadian   Canadä   Québec
canadien Heritage

Publié originalement en langue anglaise par Kyle Cathie Limited, 122 Arlington Road, London NW1 7HP sous le titre Exercise Yourself Thin.
© pour le texte Joanna Hall 2008
© pour la conception graphique Kyle Cathie Limited 2008
© pour les photos Dan Welldon www.danwelldon.com 2008

Édition : Vicki Murrell
Conception graphique : Abby Franklin
Photographie : Dan Welldon www.danwelldon.com sauf pages : 2/3, 13, 22/23, 25, 31, 42, 100, 102/103,106, 108 Francesca Yorke; 8/9 Image Source Pink/Alamy, 80 Blend Images/Alamy; 86 Mira/Alamy; 104 Adam Burton/Alamy
Coordination de la production : Sha Huxtable

© pour cette édition en langue française
Guy Saint-Jean Éditeur inc. 2009.

Traduction : Élisa-Line Montigny
Révision : Jeanne Lacroix
Infographie : Olivier Lasser et Amélie Barrette

Dépôt légal – Bibliothèque et Archives nationales du Québec et Bibliothèque et Archives Canada, 2009.

ISBN 978-2-89455-335-0

Distribution et diffusion :
Amérique : Prologue   France : De Borée
Belgique : La Caravelle S.A.   Suisse : Transat S.A.

Guy Saint-Jean Éditeur Inc., 3154 boul. Industriel, Laval (Québec) Canada, H7L 4P7. 450 663-1777. Courriel : info@saint-jeanediteur.com. Web : www.saint-jeanediteur.com.

Guy Saint-Jean Éditeur France, 30-32, rue de Lappe, 75011 Paris, France. (1) 43 38 46 42. Courriel : gsj.editeur@free.fr

Imprimé à Singapour

Table des matières

Introduction

Le mot « exercice » peut rappeler les sueurs abondantes du joueur de tennis, le coureur solitaire traversant un parc, ou tout simplement une bonne randonnée pédestre. Or, une chose est certaine : pour améliorer sa forme et sa santé, il faut faire de l'exercice. L'exercice contribue à notre sentiment de bien-être, améliore notre état de santé, réduit notre stress et ralentit le processus de vieillissement. Et il n'est pas aussi difficile que vous ne le pensez de bénéficier de tous ces bienfaits. On peut jouir d'une bonne santé sans nécessairement être marathonien. Notre sentiment de bien-être découle d'un corps et d'un esprit sains. Si vous souhaitez perdre un peu de poids, diminuer votre tension artérielle, ou votre risque de maladie cardiaque, d'un AVC ou de certains cancers, devenez actif.

Nous devons d'abord changer notre perception de l'exercice, cesser de nous culpabiliser si nous n'allons pas au gym trois fois par semaine… Il faut plutôt apprendre à vivre 24 heures à la fois. Le présent ouvrage contient de nombreux programmes efficaces qui, lorsque la motivation vous manque, vous permettront de remettre le cap sur vos objectifs. Et si vous n'avez tout simplement plus envie d'aller au gym, changez vos habitudes et allez plutôt nager ou prenez un cours de danse..

Rappelez-vous aussi de ne jamais sous-estimer à quel point la marche peut modifier votre corps. C'est l'option la moins coûteuse et la plus facile. Faites-en le fondement même de votre programme de perte de poids. Si vous suivez les conseils du chapitre 2 quant au choix du rythme et de la technique, vous obtiendrez des résultats rapidement. Prêt ? Allons-y.

Les mesures à prendre

Les bienfaits d'un mode de vie actif

Dans le cadre d'une étude récente publiée par l'*American Journal of Clinical Nutrition*, des chercheurs se sont penchés sur la dépense énergétique de femmes qui avaient perdu du poids l'année précédente. La seule différence notable entre celles qui avaient réussi à ne pas reprendre les kilos perdus et celles qui les avaient repris était l'activité physique. La dépense énergétique des premières était 44 pour cent plus élevée que celle des femmes qui avaient repris du poids.

Il est de plus en plus démontré que l'exercice modéré comporte des bienfaits significatifs pour la santé des gens qui sont présentement inactifs. Les nouvelles directives émises sur la santé soulignent l'importance de s'adonner à une activité physique 30 minutes ou plus par jour, au moins trois fois par semaine. Il s'agit par exemple d'une marche rapide de 7 à 9 km pour la plupart des adultes en santé. Quels que soient votre âge ou les circonstances, l'exercice est un investissement physique inestimable.

L'EXERCICE AÉROBIQUE RÉGULIER RÉDUIT LA TENSION ARTÉRIELLE

Des études ont démontré que l'exercice aérobique régulier réduit les tensions artérielles systolique et diastolique d'environ 10 mm Hg. Attention, cependant : si votre tension artérielle au repos dépasse 200/105, vous devriez éviter l'exercice aérobique.

L'EXERCICE ATTÉNUE LA DÉPRESSION

Une recherche laisse entendre que l'exercice modéré régulier améliore généralement l'humeur, et qu'il peut combattre la dépression aussi efficacement que les médicaments ou la psychothérapie. Même une marche de 20 minutes en plein air peut réduire le stress et transformer la fréquence des ondes cérébrales en des ondes alpha plus calmantes.

DE PETITES SÉANCES D'EXERCICE ABAISSENT LE TAUX DE CHOLESTÉROL

Dans le cadre d'évaluations, le taux de cholestérol de gens qui s'étaient adonnés, chaque jour, à trois sessions d'exercice de 10 minutes était meilleur que celui des gens qui avaient fait une seule session de 30 minutes.

L'EXERCICE PROTÈGE LES FEMMES MÉNOPAUSÉES CONTRE LE DIABÈTE

Des études ont démontré que les femmes de 55 à 69 ans qui faisaient régulièrement de l'exercice étaient 31 pour cent moins à risque de développer un diabète que celles qui n'en faisaient pas. Si vous faites de l'exercice modéré ou vigoureux plus de 4 fois par semaine, votre risque de développer un diabète est moitié moins élevé que celui des autres.

L'ACTIVITÉ PHYSIQUE RÉDUIT L'OBÉSITÉ

L'exercice est essentiel au maintien de niveaux adéquats de graisse corporelle. The National Registrar of Obesity a démontré que des personnes souffrant d'obésité ont réussi à brûler leur gras corporel à l'aide d'activités physiques régulières leur permettant de brûler 4 000 calories par semaine.

L'EXERCICE AIDE À RÉGLER L'INTOLÉRANCE AU GLUCOSE

L'exercice et les activités physiques régulières peuvent aider à réguler la glycémie et à réduire le besoin de médicaments contre le diabète.

L'écart énergétique

Commençons avec le principe de base nécessaire à la perte de poids : l'écart énergétique. Pour perdre du poids, vous devez créer un écart énergétique, c'est-à-dire brûler plus de calories par l'activité que vous n'en ingérez. Plus l'écart énergétique est grand, plus vous perdez du poids. Et si vous réussissez à maintenir cet écart, votre réussite sera assurée.

COMMENT CRÉER UN ÉCART ÉNERGÉTIQUE

L'activité physique, ou vos mouvements corporels, se divise en trois grandes catégories :

- Les activités liées au style de vie
- Les activités liées au travail
- L'exercice structuré

Dans le présent chapitre, vous constaterez que l'activité physique la plus efficace pour assurer une gestion à long terme de son poids n'est ni difficile ni vigoureuse, mais elle doit cependant être effectuée avec constance.

COMMENT VOTRE CORPS UTILISE L'ÉNERGIE

Votre corps dépense de l'énergie de différentes façons :

- L'énergie requise pour les fonctions du corps – respirer, ou les battements de notre cœur, par exemple – est appelée le « métabolisme de repos ».
- L'énergie requise à la transformation des aliments – la digestion, l'absorption, la métabolisation et le stockage des nutriments – est appelée l'« effet thermique des aliments ».
- L'énergie utilisée pour nous déplacer – l'exercice structuré, les activités liées au travail ou au style de vie – est appelée l'« effet thermique de l'exercice ».

Ces trois formes d'énergie forment la dépense énergétique totale. En apprenant comment chacune d'elles est liée à l'ensemble de votre dépense énergétique, vous pourrez mieux créer votre écart énergétique.

COMMENT SE COMPARENT-ELLES ?

Votre métabolisme de repos a la plus grande incidence sur votre dépense énergétique, soit de 65 à 75 pour cent de l'énergie que votre corps dépense. Il est intimement lié à votre masse musculaire. Un demi-kilo (1 lb) de muscle brûle de 50 à 60 calories par jour, tandis qu'un demi-kilo (1 lb) de graisse en brûle moins de 10. Curieusement, les régimes très faibles en calories (moins de 1 100 à 1 200 kcal par jour pour les femmes, de 1 400 à 1 500 kcal par jour pour les hommes) sont associés à une réduction du métabolisme de repos. Cette réduction peut en fait inciter votre corps à emmagasiner des graisses plutôt qu'à les brûler, ce qui n'est pas l'effet que vous recherchez. L'effet thermique des aliments exige environ 10 pour cent de l'énergie requise lors d'un seul repas, et contribue le moins à votre dépense énergétique totale. L'effet thermique de l'exercice est la composante la plus variable de la dépense énergétique totale puisqu'elle est tributaire de votre niveau d'activité quotidienne. Tout le monde, sans exception, peut augmenter sa dépense énergétique totale, par des exercices plus ou moins vigoureux.

Êtes-vous aussi actif que vous le pensez ?

Pensez-y : vous êtes sans doute fatigué le soir, mais est-ce une fatigue résultant d'activités mentales, de nombreux déplacements, ou physiques ? Je m'explique. Vous conduisez les enfants à l'école, terminez un rapport, faites la lessive, apportez un colis à la poste, allez chercher une ordonnance chez le médecin, travaillez une demi-journée au bureau, allez chercher les enfants, conduisez Jeannot au tennis, Élizabeth à ses cours de piano, préparez le repas et vos cours du soir. À la fin de la journée, vous êtes fatigué mentalement après avoir coordonné un grand nombre de tâches et parce que vous vous êtes déplacé sur plusieurs kilomètres, mais surtout en voiture ou en autobus. En fait, vous n'avez presque pas bougé.

DANS QUELLE MESURE ÊTES-VOUS VRAIMENT ACTIF ?

Pour le savoir, il s'agit de remplir un tableau de vos activités pendant 24 heures. Ce tableau vous permet de consigner votre niveau d'activité simplement en coloriant chaque heure selon l'activité effectuée. Une fois rempli, il vous permettra de replacer votre journée dans son contexte et de jeter un coup d'œil sur vos activités physiques. Vous pourrez aussi constater à quel moment vous pouvez ajouter un peu plus d'activité à votre journée. Si vos journées ne se ressemblent pas, élargissez votre tableau pour inclure plusieurs jours ou une semaine complète. Vous pourrez ainsi voir en un seul coup d'œil où et quand vous bougez. Ce n'est qu'en faisant preuve de constance dans vos actions que vos efforts à perdre du poids porteront fruit.

TABLEAU D'ACTIVITÉS SUR 24 HEURES

24	1	2	3	4	5	6	7	8	9	10	11	12	13	14	15	16	17	18	19	20	21	22	23

Pensez à une de vos journées types pendant que vous coloriez ce tableau

▪ Coloriez en noir le temps passé en position couchée (à dormir, à faire une sieste ou allongé sur le canapé).

▪ Coloriez en rose tout le temps passé en position assise (au travail, dans un véhicule, à la maison devant la télé, à lire, à l'ordinateur, à manger, et toutes les autres activités sédentaire).

▪ Coloriez en orange le temps passé debout pendant la journée (activités d'intensité légère).

▪ Coloriez en jaune le temps passé à des activités de développement de la force ou de musculation (incluant les tâches de levage de poids lourds).

▪ Coloriez en vert le temps consacré aux activités physiques modérées (comme une marche rapide).

▪ Coloriez en mauve le temps consacré à de l'activité physique d'intensité élevée.

15

Quelle intensité dois-je viser?

De 45 à 90 minutes (idéalement 60) d'activité physique modérée par jour permet de contrer une prise de poids malsaine et de maintenir un IMC normal (source : l'International Association for the Study of Obesity). Ce 60 minutes équivaut à brûler environ 300 kcal pour une personne pesant 75 kg (165 lb) (en plus de votre métabolisme de repos). Gardez à l'esprit que 60 minutes ne représentent qu'une moyenne et qu'il est possible que vous ayez plutôt besoin de 90 minutes, selon votre point de départ, vos objectifs et votre métabolisme. N'ayez crainte, vous y arriverez.

COMMENT PUIS-JE MESURER MES NIVEAUX D'ACTIVITÉ?

L'une des façons consiste à porter un appareil de détection comme le podomètre, le plus simple à utiliser. Inscrivez à la fin de chaque jour le nombre de pas que vous avez effectués sur votre tableau de 24 heures coloré (page 15). Sinon, vous pouvez simplement prendre en note le temps que vous passez à marcher chaque jour. Or, ce dernier système n'est pas très précis; des recherches ont démontré que nous avons tendance à surévaluer notre niveau d'activité de 51 pour cent!

QU'EST-CE QU'UN PODOMÈTRE?

Outil formidable et, à mon avis, essentiel à votre trousse de perte de poids, le podomètre enregistre le nombre de pas que vous faites dans une journée. Il mesure le mouvement de vos hanches pendant que vous marchez ainsi que les autres mouvements tels que monter les escaliers, travailler au jardin, entrer et sortir de votre voiture. Je vous incite fortement à investir dans un modèle fiable. (pour plus d'information, reportez-vous à la page 111).

Accrochez-en l'attache à votre ceinture. Son emplacement le plus courant est directement en ligne avec votre genou, mais faites quelques essais selon votre morphologie. Si votre ventre dépasse votre ceinture, votre podomètre pourrait être incliné et ne pas fonctionner correctement. Dans ce cas, portez-le davantage sur le côté de votre corps.

Comptez vos 10 000 pas

Vous devriez viser 10 000 pas par jour (l'équivalent d'environ 8 km). Mais ne vous affolez pas si vous n'avez pas encore franchi ce nombre; augmentez plutôt graduellement de 5 à 10 pour cent chaque jour. Si vous effectuez 5 000 pas en une journée, visez à en faire de 5 250 à 5 500 le jour suivant. Toute amélioration, quelle qu'elle soit, est bénéfique. Surveillez bien votre progrès; vous faites ce quil faut pour élargir votre écart énergétique et modifier votre corps. Ceci créera une relation positive entre votre corps et votre cerveau, ce qui vous aidera à réussir.

Pourquoi 10 000?

- Des études ont démontré que 10 000 pas par jour, sans modification à l'alimentation, peuvent prévenir une prise de poids, mais n'occasionneront peut-être pas une perte de poids.
- Vous vous assurez de faire de l'exercice physique même lorsque la vie vous entraîne dans son tourbillon et que vos séances d'exercice structuré sont laissées de côté. Avec vos 10 000 pas, vous brûlerez un certain nombre de calories.
- Marcher est bénéfique pour l'ensemble de votre santé et réduit votre risque de développer des affections graves telles que des maladies cardiaques, certains cancers, du diabète et la dépression. C'est aussi un exercice de port de poids qui aide à prévenir l'ostéoporose.
- Le message des 10 000 pas vous incite à ne pas rester assis trop longtemps. En vous levant et en bougeant toutes les 30 minutes pendant la journée, vous cumulerez rapidement ces pas.

VOS RÉSULTATS

Après avoir rempli votre tableau d'activités sur 24 heures et déterminé votre nombre moyen de pas par jour, jetez un coup d'œil au tableau ci-dessous, inspiré d'une étude menée au Japon visant à catégoriser les niveaux d'activité.

Moins de 5 000 pas	« sédentaire »
entre 5 000 à 7 500 pas	« activité faible »
entre 7 500 et 10 000 pas	« un peu actif »
entre 10 000 et 12 500 pas	« actif »
12 500 pas et plus	« très actif »

Si vous êtes	Votre indice d'activité est :
Femme sédentaire	12
Homme sédentaire	14
Femme active	15
Homme actif	17
Femme très active	18
Homme très actif	20

Les activités liées au style de vie et au travail

L'exercice structuré joue un rôle prépondérant face à notre dépense énergétique, mais ce n'est pas la seule façon de brûler des calories. Votre corps dépense de l'énergie chaque fois qu'il bouge. Donc, vos activités quotidiennes – au travail ou extérieures au travail (activités liées au style de vie) –, contribuent toutes à la perte de poids.

Selon un rapport publié dans l'*International Journal of Obesity*, les gens engagés dans de courtes séances d'activité physique brûlent plus de calories que ceux qui font de plus longues séances d'exercice structuré. Vos cellules adipeuses ne font pas la différence entre l'appareil d'exercice au gym et l'escalier au travail. Plus vous ferez bouger votre corps, plus grande sera la quantité d'énergie qu'il consommera et plus vous perdrez du poids.

COMMENT Y ARRIVER ?

Rappelez-vous : toutes les calories sont comptées, peu importe l'intensité de l'activité. En limitant le temps consacré à des activités sédentaires, vous aurez plus de temps à consacrer à des activités animées. De telles modifications peuvent aider à élargir votre écart énergétique. D'un point de vue pratique, vous pouvez atteindre votre objectif en effectuant un plus grand nombre de pas dans une journée et en faisant plus d'exercices structurés. Il existe quelques façons d'y arriver. Je leur ai donné le nom de « grands détours » et d'« entraînement minute ».

LES GRANDS DÉTOURS

Voici quelques « grands détours » :

Au travail :

■ Ne transportez pas votre sans-fil comme s'il s'agissait d'une extension de votre corps ! Laissez-le à un endroit vous obligeant à vous lever pour répondre aux appels.

■ Évitez d'envoyer des courriels à des collègues dans votre immeuble. Levez-vous et allez plutôt leur parler. Une étude américaine a révélé que d'envoyer des courriels pendant 5 minutes à chaque heure de votre journée de travail pourrait résulter en une prise d'un kilo (2 lb) tous les deux

ans, soit potentiellement 5 kg (11 lb) de graisses en trop en dix ans !

- Empruntez l'escalier pour descendre mais aussi pour monter. En plus d'accumuler des pas, vous bénéficiez des bienfaits de l'impact que votre corps absorbe, ce qui peut vous mettre à l'abri de l'ostéoporose.

- Occupez-vous d'une tâche à l'heure du midi. Nous avons tous des courses à faire ; faites quelque chose qui nécessite que vous bougiez.

- Faites plus de pas pour exécuter une habitude courante. Choisissez quelque chose que vous faites chaque jour – acheter le journal, lire votre courriel ou prendre votre café du matin – et ajoutez 1 000 pas de plus à votre podomètre avant de le faire.

À la maison

- Rangez toutes les télécommandes pendant une semaine. Si vous voulez changer de poste ou de CD, levez-vous pour le faire !

- Si vous avez un téléphone sans fil, marchez pendant que vous parlez.

- Jouez à des jeux récréatifs avec les enfants. En marchant, amusez-vous à tour de rôle à faire avancer la poussette pendant que votre partenaire fait la course avec les enfants plus âgés.

- Que vous soyez au travail ou à la maison, utilisez la salle de bains de l'étage ; comme une personne va au petit coin en moyenne cinq fois par jour, vous monterez et descendrez plus de marches chaque jour.

19

Organiser ses 24 heures

Mon approche face aux 24 heures d'une journée est la suivante : augmenter l'ensemble de vos activités physiques, vous inciter à bouger davantage, plus souvent, peu importe où. Toutes les occasions que vous avez de vous adonner à une activité physique s'additionnent.

À preuve : chaque jour compte 24 heures et chaque semaine compte 7 jours. Nous disposons donc de 168 heures par semaine. Admettons que nous avons le luxe de dormir 10 heures par nuit (peu probable, mais plus simple à calculer !) Il nous reste 98 heures (168 – 70) pendant lesquelles nous sommes en mesure de faire des activités physiques. Supposons que nous utilisons une heure d'exercices structurés trois fois par semaine, nous disposons donc de 95 heures (98 – 3) pendant lesquelles nous pouvons bouger.

Jetez un coup d'œil au tableau ci-contre et vous constaterez à quel point la tâche est en fait très simple. Au cours d'une journée ordinaire, la personne plus sédentaire ne brûle que 30 pour cent des calories brûlées par une la personne plus active. Si elle compense en allant au gym, elle ne brûlera en fait que 60 pour cent des calories brûlées par la personne active (qui ne va pas au gym). De plus, la personne active garde son métabolisme en mode accéléré pendant toute la journée. Elle brûle 2 calories de plus par minute. Ça n'a l'air de rien, mais au bout d'une période de 24 heures, 7 jours pas semaine, 12 mois par année, vous brûlez des millions de calories de plus ! Voilà pourquoi vous devriez toujours choisir l'alternative de l'activité.

Personne moins active	kcal	
Regarder quelqu'un d'autre faire le repassage	34	
Regarder quelqu'un d'autre passer l'aspirateur	11	
Préparer des légumes déjà tranchés	3	
Passer au micro-ondes un plat cuisiné	3	
Aller conduire les enfants à l'école à 800 m en voiture	11	
Conduire cinq kilomètres jusqu'au travail	24	
Prendre l'ascenseur pour aller 4 étages plus haut	1	
Bavarder avec des collègues pendant à la pause du midi	26	
Faire ses achats par Internet	17	
Regarder la télé pendant deux heures	175	
Utiliser une tondeuse électrique pendant 10 minutes	50	
Lire le journal pendant 30 minutes	34	
Total		**389**
Séances d'exercices au gym (60 minutes)	403	
Total ajusté		**792**

Personne active	kcal	Différence
Repasser pendant 30 minutes	77	43
Passer l'aspirateur pendant 10 minutes	40	29
Rincer, trancher et hacher vous-même les légumes	28	25
Cuisiner pendant 30 minutes	67	64
Amener, à pied, les enfants à l'école à 800 m	56	45
Faire cinq kilomètres en vélo jusqu'au travail	135	111
Monter quatre volées de marches	11	10
Marcher en bavardant pendant à la pause du midi	78	52
Aller faire ses courses à pied	311	294
Faire une marche rapide d'une heure	336	161
Utiliser une tondeuse manuelle pendant 10 minutes	68	18
Jouer avec les enfants pendant 30 minutes	94	60
Total	**1301**	**912**
Pas de gym	0	-403
Total ajusté	**1301**	**509**

(Dépense énergétique d'une personne de 63,5 kg.

Source : Unité de promotion de la santé de la British Heart Foundation, Université d'Oxford)

Entraînement minute

Il s'agit ici d'insérer une séance d'exercice entre deux activités pendant votre journée. L'entraînement minute devrait durer au moins 2 minutes, et il n'y a aucune limite à votre créativité. Voici quelques idées :

■ Jetez un coup d'œil à votre tableau d'activités sur 24 heures (page 15) pour voir à quel moment vous pourriez y insérer un entraînement minute : en route vers le travail, au retour en soirée, à la pause du midi, en faisant couler un bain, ou pendant que l'ordinateur télécharge un logiciel… Il s'agit d'y penser pour trouver.
■ Essayez l'entraînement minute en préparant le repas du soir. Cette idée est très efficace étant donné qu'il s'agit du moment de la journée où la détermination est faible. Vous arrivez à la maison, affamé, fatigué et vous n'avez aucune envie de vous activer. Faire un entraînement minute pendant que votre repas est au four vous permet de moins manger et de gagner en énergie. Bien des plats nécessitent environ 20 à 25 minutes de cuisson. Pendant ce temps, vous pourriez faire :
– les exercices d'une vidéo de 20 minutes ;
– deux tours de votre pâté de maisons en joggant ;
– quelques étirements, monter quelques escaliers, ou des exercices comme celui de l'affinement de la taille des pages 52 et 53.

MAUVAISE SEMAINE ?
PEUT-ÊTRE PAS.

Bien des gens qui tentent de perdre du poids pensent qu'une « bonne semaine » est la semaine de trois visites au gym, et une « mauvaise semaine » est celle pendant laquelle ils n'y sont allés qu'une seule fois, ou pas du tout. En fait, si vous avez été passablement actif du point de vue physique dans votre travail et pendant vos loisirs, vous avez sans doute dépensé pas mal d'énergie et votre « mauvaise » semaine a peut-être été plutôt bonne. Essayez de reconnaître chacune de vos petites réalisations, car nos réussites influencent nos autres habitudes, celles de choisir des aliments plus sains ou de diminuer nos portions. Bien sûr, le contraire est aussi vrai. Idéalement, une « bonne semaine » serait composée d'exercices structurés ainsi que d'activités liées au travail et au style de vie, au fil des 24 heures d'une journée. Donc, même si cela devrait vous inciter à bouger beaucoup plus pendant une journée, prendre le temps de faire des exercices structurés est très important. Le degré d'intensité d'un exercice améliore votre forme et augmente le nombre de calories brûlées. De plus, vous aurez un degré d'énergie accru, vous dormirez mieux et aurez un grand sentiment de bien-être ! Il ne s'agit pas simplement d'un effet secondaire agréable ; le fait de vous sentir bien est une partie essentielle de vos efforts pour perdre du poids. Passons maintenant à la prochaine étape.

QUEL EST VOTRE OBJECTIF ?

Il est maintenant temps de cerner avec plus de précision votre objectif personnel. Soyez très précis sur ce point. Toutes les séances d'exercices et tous les trucs du présent livre vous aideront à améliorer votre forme, votre santé et votre sentiment de bien-être. Or, que voulez-vous vraiment tirer de ce livre ? Fixez-vous des objectifs physiques réalistes. Lorsque vous les aurez définis, le présent ouvrage va vous aider à les atteindre en améliorant votre degré de confiance physique et en modifiant votre perception de vous-même. Vous souhaitiez peut-être pouvoir porter votre maillot de bain en toute confiance, ou prendre part à une course pour une œuvre de charité locale.

Votre médecin vous a peut-être dit que vous devez faire de l'exercice pour baisser votre pression artérielle, ou vous souhaitez simplement vous détendre et mieux dormir. Vous y trouverez des séances d'exercices pour toute la famille, y compris les enfants. Vos objectifs seront peut-être différents dans six mois, dans un an ou lorsque vous aurez franchi la prochaine décennie. En faisant régulièrement de l'exercice, vous aurez plein d'énergie et une meilleure approche face aux choses, peu importe votre âge. Le présent ouvrage vous accompagnera pendant toute votre vie, vous aidant à être en forme, en santé, à avoir votre taille idéale et, plus que tout, PLUS ACTIF !

Allez,
hop !

L'exercice structuré

Jusqu'à maintenant, nous avons vu que le fait de bouger peut créer l'écart énergétique tant recherché, et nous avons traité des façons d'incorporer des activités physiques dans votre quotidien. C'est cependant en faisant de l'exercice structuré que vous pouvez faire fondre vos graisses. Plus vous travaillez fort et pouvez maintenir l'effort, plus vous brûlerez de calories. Mais ne vous affolez pas si vous n'êtes pas un grand amateur d'exercice physique. Il existe bien d'autres alternatives à l'abonnement au gym. Rappelez-vous : en variant vos activités, vous garderez votre motivation. Le fait de ne pas aimer un type d'exercice ne signifie pas que vous les détestez tous. Idéalement, l'exercice structuré devrait combiner des séances cardiovasculaires, de résistance et de souplesse.

L'EXERCICE CARDIOVASCULAIRE

Souvent qualifié d'exercice d'« endurance » ou « aérobique » (parce que les plus gros muscles de votre corps sont sollicités et exigent beaucoup d'oxygène). C'est un excellent moyen de brûler des calories et, habituellement, la méthode la plus efficace de dépenser de l'énergie.

Les exercices cardiovasculaires devraient :

■ solliciter les grands muscles dans un mouvement continuel et rythmé ;
■ être relativement faciles à maintenir selon leur intensité ;
■ être agréables.

L'une des façons d'optimiser la dépense énergétique pendant un exercice d'endurance est d'en varier l'intensité. Plusieurs types d'exercice peuvent être adaptés afin de surcharger le système cardiorespiratoire (par exemple, augmenter la pente du tapis roulant ou la résistance du vélo stationnaire pendant l'exercice). Si vous marchez ou courez à l'extérieur, vous pouvez accélérer le rythme et

chercher les côtes à monter. Il est très simple d'intégrer des périodes d'exercice plus intense à votre programme.

EXERCICES DE MUSCULATION

Ce type d'exercice entraîne la contraction de votre muscle alors qu'il soulève un poids. Il peut s'agir du poids de votre corps, d'appareils au gym et même d'objets à la maison. Peu importe, pourvu que vos muscles puissent se contracter pour surmonter une force. Les exercices de musculation tonifient vos muscles et vous aident à conserver votre masse musculaire qui commence son déclin à la fin de la vingtaine. Ils peuvent contribuer à la gestion de votre poids à long terme.

Augmenter la masse musculaire

La fonction principale des exercices de musculation est de produire du tissu musculaire, l'un des tissus qui stimulent le plus le métabolisme. Plus votre masse musculaire est importante, plus votre métabolisme de repos – les calories nécessaires pour maintenir les processus et systèmes vitaux du corps – est élevé. L'élément le plus important de la dépense énergétique du corps est le besoin de maintenir son métabolisme de repos. Augmenter ce dernier aide à brûler plus de calories. Une étude a démontré une augmentation de 7 pour cent du métabolisme de repos chez des personnes de 56 à 80 ans à l'issue d'un entraînement de musculation de 12 semaines.

DES SÉANCES D'ASSOUPLISSEMENT

Ces exercices impliquent d'étirer et de faire bouger vos articulations. Bien qu'ils soient moins exigeants, et brûlent moins de calories, ils peuvent être très agréables à faire et composer une partie importante de votre échauffement et de votre récupération. Les activités d'assouplissement comme le yoga et le Pilates s'avèrent une bonne introduction à l'exercice structuré, surtout si vous n'avez pas l'âme d'un athlète !

AVERTISSEMENT

L'exercice a une incidence sur plusieurs systèmes et appareils de l'organisme. Parce que les muscles requièrent un plus grand apport d'énergie, le cœur et les poumons travaillent plus fort et plus efficacement pour bien les alimenter en sang oxygéné. Les vaisseaux sanguins de l'intestin, du foie, de l'estomac et des reins deviennent plus étroits pour envoyer plus de sang aux muscles. L'exercice régulier aide à diminuer la pression artérielle et prévient l'accumulation de dépôts graisseux sur les parois des artères, augmente la densité osseuse et la masse musculaire, et peut aider à soulager la dépression. Or, si vous souffrez de l'une de ces affections, consultez votre médecin ou votre spécialiste avant de commencer un programme d'entraînement.

■ Si vous n'avez pas fait d'exercice depuis longtemps ou êtes obèse, consultez votre médecin ou un entraîneur. La marche constitue un bon point de départ pour vous.

■ Si vous souffrez d'une insuffisance coronarienne ou de problèmes cardiaques, votre médecin voudra peut-être vous faire passer un électrocardiogramme (ECG) avant que vous n'entamiez un programme d'exercice aérobique afin d'évaluer comment vous réagissez au stress supplémentaire.

■ Si vous avez subi une fracture, une luxation ou une blessure de cartilage au cours des dernières années, on recommande de consulter un physiothérapeute ou un ostéopathe.

■ Toute personne souffrant d'asthme, d'arthrose, d'ostéoporose, d'hypertension, de diabète ou de toute autre affection chronique, devrait suivre les conseils de son médecin.

Respectez votre corps. Allez-y doucement au début et n'exagérez pas. Si vous avez des douleurs, ou êtes étourdi ou manquez d'air, cessez l'activité et demandez conseil.

Que me faut-il
comme équipement?

Il n'est pas nécessaire de dépenser une fortune en appareils spéciaux. Mais certains vêtements et accessoires peuvent agrémenter votre expérience. Songez à vous procurer les articles suivants :

- **Une casquette munie d'une visière** – Protège votre visage et vos yeux de la pluie et des rayons du soleil.
- **Un chapeau chaud** – Jusqu'à 60 pour cent de votre chaleur corporelle s'échappe de votre tête. Il permettra aussi de garder les cheveux longs à l'abri du vent; assurez-vous qu'il tienne bien.
- **Des gants** – Par temps froids, vous pourriez avoir froid aux mains et aux pieds. Procurez-vous des gants avec un peu d'adhérence, pratiques pour faire du vélo ou pousser la poussette. Il existe plusieurs modèles faits de matériaux perméables à l'air et fonctionnels.

- **Un imperméable léger** – Pour vous garder au sec lors d'averses printanières ou automnales. Les modèles très petits une fois roulés sont les plus pratiques.
- **Un imper plus épais** – Idéal pour les temps très pluvieux.
- **Des hauts perméables à l'air** – Un haut à manches longues et une camisole ou un t-shirt selon la température.
- **Des pantalons** – Procurez-vous un modèle extensible ; il existe un vaste choix de collants sans pieds (caleçons).
- **Des pantalons courts** – Les capris, les bermudas et les shorts sont plus confortables par temps chauds.
- **Les cuissards** – À vous procurer si vous prévoyez faire beaucoup de vélo. Pour ma part, je crois qu'ils en valent le coup.
- **Les lunettes de soleil** – Même si le soleil n'est pas aveuglant, les lunettes de soleil protègent vos yeux de la poussière et de la pollution.

LES CHAUSSURES

Elles sont essentielles. Sans dépenser une fortune, il est important de vous procurer des chaussures bien ajustées à vos pieds. Une vieille chaussure peut avoir l'air d'être en bon état, mais elle n'offre pas le même support que lorsqu'elle était neuve. Lorsque vous achetez des chaussures de sport, rappelez-vous :

- de magasiner l'après-midi lorsque les pieds sont un peu plus enflés ;
- que les chaussures de sport devraient être confortables dès le départ ;
- que lorsque vous essayez des chaussures, vous devez vous assurer de marcher sur différentes surfaces, en simulant une séance de marche ou de course en plein air.
- que vos chaussures doivent répondre à ces trois critères : confort, matelassage et contrôle. Sinon, ne les achetez pas, peu importe à quel point vous les trouvez beaux.
- qu'il faut remplacer vos souliers d'entraînement tous les 500 ou 800 km (ou 4 à 6 mois). Vos pieds vous permettront de parcourir quelque 20 000 km au cours de votre vie. Prenez-en bien soin.

SOUVENEZ-VOUS :

Matelassage – protège contre les blessures
Souplesse – transmet la puissance de votre corps
Stabilité – contrôle les mouvements (pour éviter les entorses, les foulures et même les fractures).

À quel niveau d'intensité dois-je travailler ?

« Constance » est le mot-clé des activités liées au style de vie et au travail, mais dans le cas des exercices structurés, c'est le degré d'efforts que vous y mettez qui compte réellement. Ce qui importe le plus est de travailler à l'intensité qui convient en fonction de votre sécurité, du plaisir que vous y prenez et de votre degré de réussite. Je vous conseille fortement de mesurer l'intensité de votre effort.

COMMENT MESURER L'INTENSITÉ DE VOTRE EFFORT

Certaines méthodes sont plus simples que d'autres. Il est essentiel cependant d'en choisir au moins une. Faire de l'exercice à intensité trop élevée n'est pas agréable et augmente le risque d'abandon et de blessures, tandis qu'à intensité trop faible, il n'y a pas de résultats.

PRISE DE LA FRÉQUENCE CARDIAQUE

Parce que la fréquence cardiaque augmente avec l'intensité de l'exercice, la prise de celle-ci constitue une mesure relativement précise. On peut prendre son pouls manuellement ou à l'aide d'un dispositif comme un moniteur cardiaque. La plupart des moniteurs vous donnent une lecture immédiate, et certains vous permettent de fixer des limites d'entraînement. Pour prendre votre pouls manuellement, repérez-le à votre poignet ou à votre artère carotide. Dirigez votre menton vers l'épaule et, à l'aide de votre index et de votre majeur, appliquez une légère pression sur l'un des deux côtés de votre trachée. Vous devriez sentir un pouls.

La zone d'entraînement cardiaque se situe entre 50 et 85 pour cent de votre fréquence cardiaque maximale. Si vous êtes un novice de l'exercice physique, visez le pourcentage le plus faible et augmentez graduellement. Pour faire le calcul, servez-vous de la méthode suivante :

Les hommes : 220 moins l'âge
Les femmes : 228 moins l'âge

Vous pouvez définir votre propre zone d'entraînement en multipliant le résultat obtenu – votre fréquence cardiaque maximale – par 50 et 85 pour cent.

Par exemple, si vous êtes une femme de 35 ans :
228 – 35 = 193 (fréquence cardiaque maximale personnelle)
50 % de ce résultat (193 x 0,50 = 96,5)
85 % de ce résultat (193 x 0,85 = 164)

Notez qu'au fur et à mesure que votre capacité cardiovasculaire s'améliore, votre rythme cardiaque diminue pour des exercices de la même l'intensité. Cela signifie que vous devez travailler à une intensité plus élevée pour brûler la même quantité d'énergie à l'intérieur d'un même temps.

Il existe également une méthode beaucoup plus simple décrite dans le tableau ci-contre et que plusieurs de mes clients préfèrent.

Évaluation	Perception de l'effort	Exemples d'efforts	Facteur vêtements/sueur	Facteur conversation
0	Rien du tout	Au lit, allongé, immobile ; dormir	Vêtements ou couvertures nécessaires.	Pouvez parler sans arrêt !
1	Très, très faible	Regarder la télé ou un film au cinéma, assis dans une réunion au travail, coudre ou lire.	Couches de vêtement selon la température ambiante. Pas de sueur.	Pouvez parler sans arrêt !
2	Faible	Faire du lèche-vitrines, jouer du piano, écrire à l'ordinateur, manger, s'asseoir et bavarder avec des amis, remplir le lave-vaisselle.	Couches de vêtement selon la température ambiante. Pas de sueur.	Pouvez parler sans arrêt !
3	Modéré	Faire une marche avec le chien, marcher jusqu'au travail, une partie détendue de tennis.	Un peu chaud avec des vêtements. Début de transpiration.	Capable de parler sans effort.
4	Assez soutenu	Prendre l'escalier roulant, monter plusieurs volées de marches avec des emplettes, faire du vélo.	Besoin d'enlever un vêtement. Début de sueur corporelle et du visage.	Capable de parler, mais pas de chanter.
5	Plus soutenu	Tondre manuellement la pelouse, marcher d'un pas très accéléré.	Début de la transpiration	Conversation haletante.
6	Plus difficile	Monter une côte d'un pas accéléré, ou marcher très, très vite, pousser un landau dans une côte, creuser au jardin, jogger doucement.	Transpiration du corps et du visage.	Capable de converser, quoiqu'un peu difficile et inconfortable
7	Soutenu	Jogging ou course rapide, soulever des objets lourds. Peut continuer pendant un temps limité.	Port de vêtements adaptés. Transpiration du visage et du corps.	Conservation sporadique avec courtes pauses pour respirer.
8	Très soutenu	Course pour attraper l'autobus, saut à la corde, entraînement en circuit. Vous devez vous forcer.	Corps est très chaud. Transpiration. Vêtements légers pour mieux bouger.	Incapable de maintenir une conversation (sauf par monosyllabes).
9	Très, très difficile	Participer à une course.	Corps est très chaud. Transpiration pendant et après l'activité.	Incapable d'entretenir une conversation.
10	Effort maximal. Vous ne pouvez faire plus d'effort.	Courir très, très, très vite.	Tout votre corps et votre tête sont très chauds.	Incapable de parler.

Améliorez votre forme pendant que vous perdez des kilos

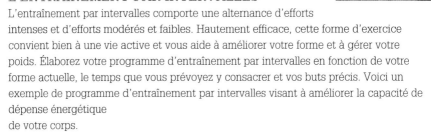

Plus votre forme s'améliorera, plus vos exercices deviendront faciles à faire.
- Prolongez vos séances d'exercice structuré.
- Augmentez graduellement l'intensité de vos exercices. Accroître son effort de 5 à 10 % est une bonne façon de progresser.
- L'utilisation de différents équipements du gym peut être exigeant parce que différents groupes musculaires sont sollicités.
- Adoptez l'entraînement par intervalles.

L'ENTRAÎNEMENT PAR INTERVALLES

L'entraînement par intervalles comporte une alternance d'efforts intenses et d'efforts modérés et faibles. Hautement efficace, cette forme d'exercice convient bien à une vie active et vous aide à améliorer votre forme et à gérer votre poids. Élaborez votre programme d'entraînement par intervalles en fonction de votre forme actuelle, le temps que vous prévoyez y consacrer et vos buts précis. Voici un exemple de programme d'entraînement par intervalles visant à améliorer la capacité de dépense énergétique
de votre corps.

Commencez toujours par un échauffement de 3 à 5 minutes avec un exercice cardiovasculaire de faible intensité pour préparer les poumons, le cœur et les muscles. Marchez, en roulant les épaules et en faisant des cercles avec les bras.

Exercez-vous pendant 4 minutes à intensité élevée, puis 4 minutes à intensité modérée à faible.

Alternez la marche rapide et lente. Continuez ainsi avec des intervalles de 4 minutes. Pendant l'intervalle d'intensité élevée, vous devriez sentir que vous faites un effort un peu soutenu (un niveau de 7 à 8 dans la colonne Perception de l'effort, p. 33). Pendant l'intervalle d'intensité modérée, vous devriez sentir que vous faites un effort relativement soutenu (un niveau de 5 à 6 dans la colonne Perception de l'effort, p. 33).

Commencez par une séance de 20 minutes et, sur plusieurs semaines, augmentez jusqu'à 60 minutes.

Votre progrès sera tributaire de votre condition physique. Pour l'améliorer et brûler des

calories, vous devez faire de l'exercice jusqu'au point de « surcharge », c'est-à-dire jusqu'au moment où votre corps se sent mis au défi.

MESUREZ L'AMÉLIORATION DE VOTRE CONDITION PHYSIQUE

Tout comme vous tenez compte des changements de votre silhouette et de votre poids, il est aussi utile – et très agréable – de constater à quel point votre forme s'améliore. Il existe différentes façons de la mesurer, mais l'une des plus simples et des plus faciles est de chronométrer une marche sur une certaine distance. Notez votre rythme cardiaque au départ, à la fin et une minute plus tard, ainsi que du temps nécessaire pour faire tout le parcours.

Au fur et à mesure que votre condition physique s'améliore, votre cœur devient plus fort et alimente plus efficacement votre corps en sang oxygéné. Au bout d'un certain temps, vous devriez pouvoir parcourir plus rapidement la même distance et votre rythme cardiaque aura baissé. Essayez d'évaluer votre condition physique toutes les quatre semaines.

Rythme cardiaque au départ
Il s'agit de votre rythme cardiaque au repos, pris immédiatement avant votre marche. Trouvez votre pouls (au poignet ou au cou), comptez votre RC pendant 10 secondes et multipliez-le par six.

Rythme cardiaque à la fin
Il s'agit de votre rythme cardiaque immédiatement après votre marche. Trouvez votre pouls et comptez votre RC pendant 60 secondes (il ralentira pendant ce temps).

Rythme cardiaque de récupération
Après avoir inscrit votre RC final, attendez une minute et prenez votre RC pendant 60 secondes de plus. Vous saurez ainsi combien votre condition physique se sera améliorée au cours des derniers 28 jours. Plus votre cœur revient rapidement à son rythme normal, plus il est efficace.

Prévenir les blessures

En devenant plus actif, vous aurez peut-être des courbatures et différents maux, ce qui n'a rien d'anormal. Ceux-ci peuvent être facilement diminués ; il s'agit de savoir comment. Essayez les trucs suivants, qui vous aideront aussi à dépenser plus d'énergie.

ÉVITER LES DOULEURS AU TIBIA

Roulement du pied : Debout, les pieds presque joints, montez sur la pointe des pieds, restez ainsi pendant 2 secondes, et revenez au point de départ. Roulez ensuite sur la partie extérieure de vos pieds, restez ainsi pendant 2 secondes et revenez au point de départ. Faites le même mouvement vers vos talons, les orteils pointés vers le haut, pendant 2 secondes et revenez au point de départ. Répétez cette séquence 10 fois avant chacune de vos marches.

ÉVITER LES DOULEURS AUX GENOUX

Élévation de la jambe tendue : Assoyez-vous au sol, les jambes allongées. Pliez votre jambe droite et posez votre pied droit à plat sur le sol. Placez vos mains derrière vous et gardez le dos droit. Le pied gauche fléchi vers vous, contractez votre cuisse gauche et soulevez la jambe de 15 à 30 cm (6 à 12 po) du sol. Restez ainsi pendant 5 secondes et ramenez votre jambe au sol. Refaites 10 fois le mouvement et répétez avec l'autre jambe. Effectuez cette séquence 2 à 4 fois par semaine.

ÉVITER LES JAMBES DOULOUREUSES

Étirement des hanches et des mollets : Debout, les pieds joints, posez votre pied droit de 3 à 4 longueurs de pied devant vous. Dirigez la pointe des pieds vers l'avant. Pliez votre genou droit pour qu'il se trouve directement au-dessus de votre pied et non devant. Dirigez le gros orteil vers l'avant. Gardez la jambe gauche bien droite et le talon gauche au sol pour sentir un étirement de votre mollet gauche. Éliminez la courbe du bas du dos en rentrant votre bassin pour sentir un étirement de l'avant de votre hanche. Restez ainsi pendant 4 à 7 respirations lentes et profondes ; répétez avec l'autre jambe. Étirez chaque jambe deux fois après chaque séance de marche.

Étirement du mollet inférieur : Tenez-vous près d'un arbre et posez l'avant-pied sur le tronc de façon à ce que votre talon soit encore au sol. Pliez votre genou droit vers l'arbre ; vous devriez sentir un étirement dans la portion inférieure de votre mollet. Restez ainsi pendant 10 à 15 secondes, et répétez deux fois pour chaque jambe. À faire à la fin de chacune de vos séances de marche.

ÉVITER LES TENSIONS DU BRAS SUPÉRIEUR

Étirement du tronc supérieur : Debout, les pieds écartés à la largeur des épaules, soulevez votre bras droit au-dessus de votre tête, pliez votre coude pour que votre main droite se trouve derrière votre tête. Tenez votre coude droit avec votre main gauche et tirez doucement sur votre coude droit vers la gauche, en penchant votre tronc supérieur légèrement vers la gauche. Prenez 4 à 7 respirations lentes et profondes ; répétez avec l'autre bras. Étirez chaque côté deux fois après chaque séance de marche.

LES MEILLEURS TRUCS « TECHNIQUES »

Votre façon de faire vos exercices aura une incidence sur votre progrès mais aussi sur votre risque de blessures. Les trucs simples suivants vous aideront à obtenir un corps en forme et plus fort en moins de temps.

L'erreur : Laisser le genou aller vers l'intérieur plutôt que de le garder aligné avec les orteils pendant des fentes avant, des séances de *step* (marche) ou des pliés. Il y a risque de blessures au genou.
La bonne méthode : Gardez les genoux et les orteils bien alignés. Assurez-vous de voir vos orteils lorsque vous regardez vers le sol. Imaginez une ligne droite entre votre rotule et votre deuxième orteil.

L'erreur : Tirer le menton vers l'avant pendant les redressements assis dans une tentative de soulever la partie supérieure du tronc. Exerce une pression sur le cou et diminue l'efficacité de l'exercice.
La bonne méthode : Soulevez-vous à partir de votre sternum. Imaginez que le mouvement débute au sternum. Gardez toujours votre menton et votre cou bien droits en alignant vos lobes d'oreilles et vos clavicules.

L'erreur : Le pas lourd ! Parfois, en accélérant votre vitesse de marche, votre technique peut laisser à désirer. Le pied se pose lourdement au sol plutôt que de façon contrôlée.
La bonne méthode : Gardez votre tronc supérieur bien soutenu en marchant, en imaginant que vous avez un verre d'eau sur chaque épaule. Mettez toute la plante du pied bien à plat lorsque vous posez le pied au sol.

L'erreur : Arrondir les épaules en montant un escalier. Souvent, lorsque vous posez le pied sur un banc ou montez un escalier, votre corps est fléchi vers l'avant. Il en résulte une pression sur votre épine dorsale, une mauvaise posture pouvant entraîner des blessures.
La bonne méthode : Prolongez le mouvement vers le haut chaque fois que vous faites un pas. Gardez la tête haute et soyez fier de l'espace que votre corps occupe.

Choisissez vos exercices de cardio

Vous avez bien travaillé et appris plein de choses. C'est le moment de vous amuser. L'exercice cardiovasculaire ne se limite pas aux tapis roulants et aux vélos stationnaires !

Vous pouvez choisir des sports pour intrépides comme la descente en eaux vives ou l'escalade de l'Himalaya, ou des activités qui correspondent à votre style de vie, comme le saut à la corde avec vos enfants ou vous rendre à bicyclette au travail. La liste suivante comprend des suggestions plus ou moins courantes, accompagnées de conseils et les résultats potentiels (ainsi que le nombre de calories que vous pouvez dépenser).

LA RANDONNÉE PÉDESTRE

Ce que vous faites : la marche est l'exercice le plus simple, le plus accessible et le moins coûteux qui soit, et il est efficace pour la plupart des gens. Or, pour que vos marches soient efficaces, vous devez déterminer votre cadence optimale. Tout d'abord, placez-vous à un endroit où il y a beaucoup d'espace. Commencez à marcher et augmentez graduellement votre vitesse (aidez-vous en balançant rapidement les bras). Continuez d'augmenter votre cadence jusqu'à ce que vous soyez porté tout naturellement à jogger. Il s'agit de votre point pivot. À partir de ce point-là, reprenez votre cadence de marche qui est en fait votre cadence de marche optimale. Vous devriez sentir que vous marchez beaucoup plus rapidement qu'à l'habitude.Voici quelques conseils pour améliorer votre technique :

- Posez votre talon au sol en premier, en faisant suivre le reste de la plante de votre pied avant de repousser avec la pointe du pied.
- Pensez à vous « grandir » en marchant – évitez de vous « enfoncer » dans vos hanches.
- Contractez vos abdominaux pour soutenir votre dos.
- Les épaules bien détendues, laissez vos bras se balancer sans qu'ils ne touchent votre corps.
- Faites votre foulée normale – n'essayez pas de l'allonger. Pour accélérer, faites bouger vos bras plus rapidement – vos jambes suivront tout naturellement.
- Portez des chaussures de sport bien matelassées, confortables et qui ne serrent pas.

Excellente pour : amincir vos hanches et vos cuisses, en plus de brûler des calories.

Dépense calorique : jusqu'à 180 en 30 minutes.

LE BALADI

Ce que vous faites : lorsque vous pensez
au baladi, vous pensez sans doute aux
restaurants du Moyen-Orient. Mais il n'y a
pas que ça. Plusieurs cours de styles
différents sont offerts partout
de nos jours.

Excellent pour : renforcer l'estime
de soi dans un environnement non
compétitif, augmenter votre rythme
cardiaque et prendre conscience de votre
corps.Votre taille et votre thorax seront
mieux tonifiés et harmonieux, tandis
que votre colonne vertébrale devrait être
plus mobile.

Dépense calorique : jusqu'à 140 en
30 minutes.

LA NATATION

Ce que vous faites : étant donné que
l'eau offre un certain soutien, la dépense
énergétique peut être assez faible. Or, si
vous améliorez votre habileté, la natation est
une excellente activité physique aérobique
régulière à ajouter à des séances de
musculation. Les cours d'exercice en milieu
aquatique sont amusants et offrent des
bienfaits tonifiants compte tenu de la
résistance offerte par l'eau.

Excellente pour : tout le corps et elle est
idéale si vous avez des articulations
douloureuses ou de l'arthrite, puisque l'eau
fournit un soutien aux membres.

Dépense calorique : jusqu'à 190 calories
en 30 minutes.

LA SALSA

Ce que vous faites : une danse sud-américaine qui se pratique en studio. Idéal si vous voulez faire de l'exercice sans sentir que vous vous entraînez.

Excellente pour : renforcer votre cœur et vos poumons. Vise les muscles obliques souvent négligés qui aident à mincir et définir votre taille.

Dépense calorique : jusqu'à 150 calories en 30 minutes

LE BODYJAM

Ce que vous faites : le bodyjam combine plusieurs techniques de danse différentes qui sont simples et faciles à effectuer.

Excellent pour : surmonter des défis pour maîtriser les numéros de danse, tandis que votre cœur et vos poumons sont bien sollicités. Vos cuisses et vos fesses seront aussi mieux tonifiées, et les mouvements des bras amélioreront votre coordination.

Dépense calorique : jusqu'à 180 calories en 30 minutes.

LE PATINAGE SUR GLACE

Ce que vous faites : réunissez des amis et rendez-vous à la patinoire de votre voisinage. C'est très amusant !

Excellent pour : votre équilibre, un arrière-train plus ferme, des jambes affinées, un meilleur maintien et une meilleure posture. L'effort requis pour vous relever lorsque vous tombez est aussi bénéfique !

Dépense calorique : jusqu'à 234 calories en 30 minutes.

LE JOGGING

Ce que vous faites : le jogging est un excellent exercice aérobique complet. Assurez-vous d'avoir de bonnes chaussures vous offrant un bon support. Au début, alternez entre marche rapide et jogging. Commencez en joggant 30 secondes, en marchant 60 secondes et réduisez graduellement le ratio de marche pour jogger pendant 20 minutes consécutives.

Excellent pour : améliorer l'endurance de votre cœur et de vos poumons. Une excellente dépense calorique puisque vous devez supporter le poids de tout votre corps pendant que vous vous déplacez.

Dépense calorique : jusqu'à 300 calories en 30 minutes.

LE TENNIS

Ce que vous faites : le tennis est un peu trompeur. Les parties de tennis vigoureuses sont amusantes et parfaites pour sortir de la maison, mais les arrêts fréquents et son caractère « social » nécessitent une dépense calorique moins élevée que vous pensez.

Excellent pour : tonifier les bras et les jambes, et un bon entraînement cardiovasculaire si vous tentez d'aller chercher les balles en fond de terrain.

Dépense calorique : selon l'intensité du jeu.

LA BOXE THAÏE

Ce que vous faites : une forme d'art martial qui se pratique les mains nues. Sport de l'époque médiévale où les bras, les jambes, les coudes et les genoux servaient d'armes dans des combats. De nos jours, les connexions spirituelles anciennes sont maintenues et intégrées dans les règlements du sport.

Excellente pour : gagner en force par des mouvements d'agilité et cardiovasculaires. Une excellente forme d'autodéfense et une bonne façon d'améliorer l'estime de soi et la confiance.

Dépense calorique : selon l'intensité de l'entraînement.

LES SPORTS DE BALLE

Ce que vous faites : qu'il s'agisse de basketball, de balle au camp ou de football, les sports de balle sont très amusants.

Excellents pour : la coordination œil-main et le cardio. L'aspect social de ces activités peut vous motiver largement à continuer votre entraînement.

Dépense calorique : selon le sport et votre rôle dans l'équipe (le gardien de but ne brûle pas autant de calories que le milieu de terrain).

L'ESCALADE DE ROCHER

Ce que vous faites : plusieurs grands centres de loisirs et de plein air sont dotés de murs d'escalade. Des cours spécialisés dans la nature sont également offerts.

Excellente pour : renforcer et tonifier les muscles. Le mouvement de montée est

particulièrement efficace pour tonifier les fesses et les cuisses, alors que l'ensemble de la coordination requise du corps met la tête et le corps au défi.

Dépense calorique : selon le degré de difficulté de l'escalade.

LES COURS DE CIRQUE

Ce que vous faites : il existe plusieurs écoles de cirque et de cours différents. Si vous êtes déjà allé au cirque et avez pensé que vous aimeriez faire l'essai de ce que vous voyiez, voilà votre chance.

Excellents pour : améliorer votre prise de conscience de votre corps, votre estime et votre confiance corporelle. Selon la discipline choisie, vous pouvez améliorer différentes parties de votre corps, tonifier vos muscles et améliorer votre agilité et votre souplesse.

LA BICYCLETTE

Ce que vous faites : utilisez votre vélo pour faire des emplettes ou conduire les enfants à l'école. Il s'agit d'un excellent moyen d'inclure de l'exercice dans votre quotidien.

Excellente pour : un exercice cardiovasculaire complet, particulièrement intéressant si vous avez des enfants. Comme le poids du corps est supporté, et que la pression appliquée à la pédale est proportionnelle au poids du cycliste, les adultes et les enfants peuvent faire du vélo ensemble sans que ces derniers soient épuisés avant maman et papa ! Si vous faites du vélo de montagne, les muscles de vos cuisses, bras et haut du dos seront mieux définis, tandis que du vélo sur du plat peut brûler beaucoup de calories.

Dépense calorique : jusqu'à 240 calories en 30 minutes.

LE GOLF

Ce que vous faites : marchez d'un trou à l'autre et vous accumulerez un nombre important de pas sur votre podomètre.

Excellent pour : le torse.

Le mouvement de rotation requis pour frapper la balle a un effet tonifiant sur celui-ci. Mais ne partez pas en lion : les Tiger Woods et les Nick Faldos de ce monde ont passé des heures et des heures à développer l'élan qu'ils ont aujourd'hui.

Dépense calorique : jusqu'à 130 calories en 30 minutes.

L'ÉQUITATION

Ce que vous faites : même si le cheval semble faire tout le travail, en fait, vous tonifiez largement la partie inférieure de votre corps et vous prenez un bon bol d'air. Il s'agit d'une activité moins cardiovasculaire que d'autres, cependant.

Excellente pour : vous calmer et stimuler des ondes cérébrales de bien-être. L'intérieur de vos cuisses, vos muscles abdominaux inférieurs et votre posture en bénéficient.

Dépense calorique : jusqu'à 120 calories en 30 minutes.

LE SKI ALPIN

Ce que vous faites : dévaler les pentes – de préférence sur des skis plutôt que sur son postérieur – entraîne un sentiment d'euphorie, assez pour donner une poussée d'adrénaline à tous ceux qui doutent de l'exercice physique.

Excellent pour : faire travailler les jambes et les muscles abdominaux. L'utilisation de vos bâtons fera aussi travailler vos bras.

Dépense calorique : autant que 374 calories en une heure.

LA PLANCHE À NEIGE

Ce que vous faites : vous surfez sur de la neige debout, les pieds en travers l'un derrière l'autre, sur une planche. Les instructeurs de planche prétendent que les novices de tout âge peuvent apprendre à dévaler les pentes avec assurance en quelques jours.

Excellente pour : vos jambes et vos fesses ; tonifiante pour votre taille et vos abdominaux.

Dépense calorique : cet exercice complet brûle environ 400 calories à l'heure.

LA RAQUETTE

Ce que vous faites : la raquette consiste à marcher dans la neige avec des « chaussures » spéciales. Ce sport gagne énormément en popularité, et bon nombre de centres de villégiature préparent des sentiers balisés pour les adeptes.

Excellente pour : bien faire travailler vos cuisses et vos fesses.

Dépense calorique : la neige offrant une résistance naturelle, même marcher à un rythme modéré sur du plat peut brûler jusqu'à 500 calories à l'heure, plus que le ski ou la planche à neige.

FAIRE VOLER UN CERF-VOLANT

Ce que vous faites : vous vous adonnez à des loisirs en plein air tout simples et amusants comme dans votre enfance. À tour de rôle avec votre partenaire, faites voler le cerf-volant et allez le récupérer pour lui faire reprendre son envol.

Excellent pour : remettre les idées en place si vous avez été coincé à l'intérieur toute la semaine (la lumière du jour augmente vos niveaux de vitamine D). Donnez un nouvel élan à vos efforts cardiovasculaires en vous plaçant en haut d'une côte et en la dévalant, à tour de rôle, pour récupérer le cerf-volant. Vos hanches, cuisses et postérieur en bénéficieront.

Dépense calorique : jusqu'à 135 calories en 30 minutes.

LE SAUT À LA CORDE

Ce que vous faites : sautez à la corde les pieds joints (plus difficile) ou dans un mouvement de course (plus facile et moins dur pour les articulations). C'est un exercice intense. Commencez par 20 secondes et augmentez graduellement jusqu'à sauter 5 minutes sans interruption. Veillez à ce que vos talons touchent le plancher lorsque vous atterrissez et que vos genoux soient souples.

Excellent pour : améliorer l'endurance de votre cœur et de vos poumons. Une excellente dépense énergétique.

Dépense calorique : jusqu'à 280 calories en 30 minutes.

Les exercices de résistance et de souplesse

Une bonne introduction avant de passer à des séances d'exercices plus structurés, étant donné qu'ils sont moins exigeants. Un vaste choix d'exercices s'offre à vous. En voici un aperçu.

LA MÉTHODE PILATES

Le Pilates implique l'entraînement de muscles profonds selon les principes élaborés par l'instructeur allemand, Joseph Pilates. Il vous aide à développer un tronc solide, à renforcer les muscles abdominaux profonds ainsi que ceux qui longent la colonne vertébrale, ce qui contribue à la protéger et à maintenir le bassin bien aligné. On vous montrera des exercices au sol que vous pourrez faire vous-même à la maison, et des exercices sur le « reformer » qui doivent être faits en studio sur l'appareil du même nom (voir ci-contre). La méthode Pilates est excellente pour obtenir un corps svelte sans trop accroître le volume musculaire, améliorer votre posture et corriger l'alignement des muscles, mais elle a peu d'incidence cardiovasculaire.

LE YOGA

En gros, il existe trois styles de yoga : ashtanga, hatha et iyengar. Ils diffèrent de nombreuses façons, l'une d'elles étant la demande physique. La meilleure tonification provient de l'ashtanga (ou vinyasa, moins bien connu) qui comporte des postures à maintenir pendant un certain temps avant de passer à la suivante en se servant de ses bras. L'iyengar et le hatha sont habituellement plus doux et, bien que les techniques de respiration fassent partie intégrante de la pratique du yoga, vous constaterez que l'accent porte davantage sur la respiration et la détente.

LA MUSCULATION

La musculation implique l'usage d'haltères ou d'appareils de résistance pour renforcer des groupes musculaires précis. Suivre un programme de musculation peut améliorer votre masse musculaire, mais peut aussi augmenter votre poids, car les muscles sont plus lourds que la graisse. En surveillant votre alimentation et en suivant un programme d'exercice, vous serez moins à l'étroit dans vos vêtements et votre taille diminuera. Utilisez la musculation pour complémenter vos exercices cardiovasculaires, tonifier et modeler votre corps pendant que vos graisses fondent. Soulevez des poids plus légers et augmentez le nombre de répétitions pour multiplier les bienfaits cardiovasculaires

de votre entraînement. Dans les plans d'action du chapitre 5, vous verrez comment j'ai intégré des exercices de résistance pour augmenter les bienfaits cardiovasculaires et la dépense calorique.

LES COURS DE TONIFICATION

Ces cours portent essentiellement sur des exercices de résistance qui font appel à votre propre poids, à de petits haltères, des bandes élastiques ou des ballons. L'accent n'est pas mis sur la même chose d'un cours à l'autre, mais l'idée générale est d'améliorer le tonus musculaire avec plus de répétitions et des poids plus légers.

Les exercices ciblés

La tonification ciblée

Nous avons tous une partie de notre corps plus problématique que les autres et qui semble immunisée contre tous nos efforts de perte de poids. C'est ici qu'entrent en jeu les entraînements ciblés. Utilisez quelques-uns de vos exercices préférés comme l'entraînement minute ou à insérer par intervalles dans vos exercices cardiovasculaires. Si c'est un ventre plat que vous voulez, c'est la qualité et non la quantité qui compte. Bien faite, cette technique simple axée sur votre ventre vous aidera à voir des résultats rapidement.

LA CONNEXION CÔTE-HANCHE

Son effet : amincit votre taille rapidement.

Allongez-vous au sol, les genoux fléchis. Posez vos mains autour de votre cage thoracique, les doigts vers votre sternum. Inspirez profondément et sentez votre cage thoracique prendre de l'expansion. La plupart des gens commencent ainsi leurs exercices pour le ventre. ARRÊTEZ ! Si vous faites ceci, votre taille grossira !

Songez plutôt à prendre une grande inspiration en imaginant que vous portez un corset qui a besoin d'être serré. En tirant votre nombril vers le sol, vous sollicitez vos muscles obliques internes, ce qui affinera votre taille. Essayez d'être détendu et à l'aise dans cette position.

Autre méthode : posez votre pouce sur vos côtes inférieures et votre auriculaire sur l'os de votre hanche et ramenez ces deux points ensemble à l'aide d'une légère contraction de vos muscles abdominaux. Votre colonne devrait être en position neutre, avec un petit espace entre le sol et le bas de votre dos.

Établissez cette connexion et gardez votre colonne en position neutre avant de faire tout exercice pour vos abdominaux.

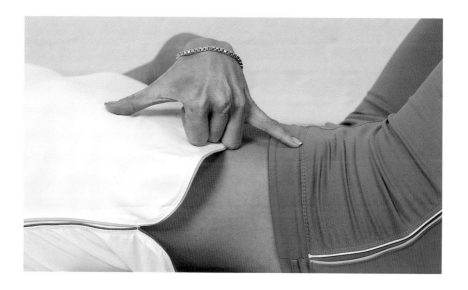

SOULEVER ET ALLONGER

Son effet : vous donne des abdominaux minces et plats.

1 Allongez-vous au sol, les genoux fléchis et faites la connexion côte-hanche. Soulevez LENTEMENT la partie supérieure de votre corps à partir de votre sternum (pas la tête, ni le menton ou le nez).

2 Pendant que vous relevez votre buste et le ramenez au sol, veillez à allonger votre cou. Pour vous aider, imaginez que votre tête doit suivre une courbe en arc pendant tout le mouvement.

VENTRE MOU SOUS CONTRÔLE

Son effet : prévient les bourrelets du bas du ventre et supporte votre dos pour prévenir les douleurs dorsales.

1 Pour vraiment faire disparaître ces bourrelets, vous devez cibler les muscles abdominaux transversaux profonds (ceux que vous contractez lorsque vous vous allongez sur le dos pour monter la fermeture éclair de votre jeans…). Placez-vous à quatre pattes et remontez votre bas-ventre vers votre colonne et le plafond, aussi fort que possible. Demandez à un ami ou aux enfants de pousser un peu sur votre ventre. Il devrait être stable et ne pas bouger.

2 Refaites la même chose mais en relâchant vos abdominaux. Lorsque quelqu'un vous poussera cette fois-ci, vous chancellerez et n'aurez aucune stabilité.

Affinement de la taille

Le premier d'une série d'entraînements ciblés, pour tonifier les abdos.

REDRESSEMENT DU STERNUM

Son effet : amincit la portion supérieure de la taille et du ventre.

1 Allongez-vous sur le dos, genoux légèrement fléchis et pieds à plat sur le sol, mais assez éloignés de votre postérieur ; vous devez sentir vos orteils sur le point de se soulever. Placez vos mains de chaque côté de votre tête et soulevez-la légèrement du sol. C'est votre position de départ.

2 Puis ne soulevez votre tronc que de 5 cm, à partir de votre sternum. Restez dans cette position pendant 4 secondes et revenez à la position de départ. Reposez la tête au sol.

3 **Pour augmenter le degré de difficulté :** allongez une jambe en gardant l'autre fléchie et répétez le redressement du sternum. Maintenez cette position pendant 4 secondes, revenez au point de départ et répétez avec l'autre jambe.

CONSEIL IMPORTANT :

Il s'agit d'un exercice très subtil. Tirez bien sur vos abdominaux pendant tout le mouvement. Vous ne devriez sentir aucune tension au cou, aux cuisses ni dans le bas du dos.

L'INSECTE

Son effet : tonifie très bien le ventre, sans causer de douleur au cou.

1 Position de départ : allongez-vous sur le dos et soulevez vos jambes et vos bras, en fléchissant légèrement vos genoux et en les gardant dans le prolongement de vos hanches. Vos bras sont alignés avec vos épaules, les paumes tournées vers l'avant. En demeurant aussi immobile que possible, tirez fermement vos abdominaux vers votre colonne. Maintenez cette position pendant 2 séries de 8 secondes chacune.

CONSEIL IMPORTANT :

Tenez vos jambes assez éloignées de votre corps, sinon l'exercice est trop facile. Éloignez vos genoux un peu plus à chaque fois pour sentir davantage de tension dans vos abdominaux.

2 Abaissez votre pied droit et touchez légèrement le sol 4 fois avec le talon, sans arquer le bas de votre dos.

3 En maintenant la contraction de vos abdominaux, ramenez le pied droit à sa position de départ, baissez le pied gauche et touchez le sol avec le talon.

4 Pour augmenter le degré de difficulté : commencez dans la position de l'insecte. Abaissez lentement la jambe droite et le bras droit vers le sol, en même temps. La distance entre le bras et le genou doit demeurer la même.

5 Effleurez le sol avec votre talon avant de ramener votre bras et votre genou à la position de départ. Répétez le mouvement avec le bras et la jambe gauches, en contractant bien vos abdominaux.

TRACTIONS VENTRALES

Leur effet : aplatissent et améliorent le soutien de la posture de vos abdominaux.

1 Position de départ : serrez d'abord une ceinture autour de votre taille. Placez-vous à quatre pattes, les mains directement dans le prolongement des épaules et vos genoux dans celui des hanches. Relâchez d'abord vos abdominaux, en gardant le dos plat, tirez fermement sur vos muscles abdominaux afin de créer de l'espace entre votre ventre et la ceinture. Vous devriez pouvoir y glisser vos doigts. Maintenez cette position 30 secondes, en respirant doucement. Détendez-vous pendant 10 secondes. Répétez 5 fois.

2 Pour augmenter le degré de difficulté : gardez le dos bien droit pendant que vous allongez votre bras gauche et votre jambe droite. Tirez maintenant fermement sur vos abdominaux pour créer un espace entre la ceinture et votre ventre. Répétez avec le bras droit et la jambe gauche.

3 Ramenez votre coude droit et votre genou gauche vers vous afin qu'ils se touchent. Gardez cette position pendant 4 secondes, et allongez votre bras et votre jambe à nouveau. Effectuez 3 répétitions avant d'amener votre coude gauche vers votre genou droit ; répétez 3 fois.

ÉTIREMENT ABDOMINAL

Son effet : raffermit et aplatit toute la sangle abdominale.

1 Position de départ : allongez-vous sur le dos, les genoux légèrement fléchis et les pieds positionnés pour que vos orteils soient légèrement soulevés du sol. Soulevez le tronc, à partir du sternum, et placez vos mains sur vos cuisses.

2 Soulevez votre tronc d'environ 5 cm à partir de votre sternum, en allongeant les bras vers l'avant le plus loin possible, parallèlement au sol, revenez à votre position de départ et étirez vos bras au-dessus de votre tête, en gardant vos épaules soulevées.

CONSEIL IMPORTANT :

en posant vos pieds à plat au sol, le plus loin possible de votre postérieur, vous vous assurez d'avoir la colonne allongée au sol, ce qui aide à cibler la zone du bas-ventre.

REDRESSEMENT OBLIQUE

Son effet : amincit la taille.

1 Position de départ : allongez-vous sur le dos, les genoux fléchis et les pieds à plat sur le sol, à bonne distance de votre postérieur. Allongez le bras droit vers la droite et posez les doigts de la main gauche sur le côté de votre tête. Soulevez le tronc.

2 Tirez votre ventre vers le sol et soulevez votre épaule gauche en direction de votre hanche droite. Répétez 8 fois avant de procéder de la même façon dans la direction opposée, en soulevant votre épaule droite vers votre hanche gauche.

COMMENT ÉVITER LES DOULEURS AU COU

Lorsque vos abdominaux ne sont pas assez forts pour supporter le poids de votre torse quand vous tentez de vous redresser, des douleurs au cou peuvent survenir. Cet inconfort diminuera au fur et à mesure que vos abdominaux se renforceront ; faites donc vos exercices d'affinement de la taille assidûment. Entre-temps, voici quelques trucs pour atténuer les tensions au cou.

Première solution :
drapez vos épaules d'une serviette et saisissez-en les coins, en tirant fort pour soutenir votre tête et votre cou pendant que vous vous redressez. Évitez de tirer sur votre tête avec vos mains pendant le mouvement. Redressez-vous toujours à partir du sternum et non à partir du menton.

Deuxième solution :
placez une serviette roulée sous votre nuque et tenez bien chaque extrémité pendant que vous vous redressez et revenez au sol. De plus, il semblerait que le fait d'appuyez votre langue contre votre palais pendant que vous faites l'exercice stabilise les muscles de votre cou, qui soutiennent alors votre tête.

LES MUSCLES DU BAS-VENTRE
QUI RESSORTENT

Parfois, quand nous nous redressons, les muscles du bas-ventre se gonflent, déstabilisant ainsi le bas du dos. Voici quelques solutions pour aider la sangle abdominale à s'aplatir.

Première solution : vérifiez bien la connexion côte-hanche (voir page 49) et placez une règle en travers des muscles abdominaux de votre bas-ventre. Pendant que vous vous redressez, essayez de garder la règle bien en place en tirant vers le bas sur vos abdominaux.

Deuxième solution : portez une ceinture pour vos exercices abdominaux. Attachez-la de façon à ce qu'il y ait peu d'espace de mouvement entre vos abdominaux et la ceinture. Pendant le redressement, efforcez-vous de maintenir une distance entre vos abdominaux et la boucle de la ceinture.

Des exercices

selon la morphologie

La morphologie

La télévision et les magazines nous ont tellement habitués à voir des célébrités transformer complètement leur corps, que nous souhaitons la même chose. En réalité, cependant, la plupart d'entre nous n'en avons pas les moyens financiers, ni le luxe. Il est possible d'améliorer notre silhouette, mais dans quelle mesure pouvons-nous modifier la morphologie avec laquelle nous sommes nés ?

Notre morphologie fondamentale – structure squelettique, musculaire, tissus adipeux et distribution d'hormones – est déterminée par nos gènes. Selon le généticien Claude Bouchaud, notre morphologie est tributaire de 70 pour cent de nos gènes et des hormones que nous sécrétons. Il reste donc 30 pour cent avec lesquels nous pouvons redéfinir et mouler notre corps par des exercices et notre alimentation.

En vieillissant, nous perdons tout naturellement de la masse musculaire. Or, il est possible de limiter ce phénomène par le biais d'exercices appropriés. Les gras corporels sont directement liés à l'équilibre énergétique : consommer trop de calories sans les brûler augmente les tissus adipeux, dépenser plus de calories que d'en consommer favorise la réduction des graisses corporelles. Or, à défaut de recourir à une chirurgie esthétique majeure – une très mauvaise idée, soit dit en passant –, notre morphologie est assez fixe. Il existe généralement quatre types de morphologies. Il s'agit des quatre catégories suivantes : poire, poivron, carotte et pomme.

QUELLE EST VOTRE MORPHOLOGIE ?

Vous êtes plus « poire » si :

- vos hanches sont plus larges que vos épaules
- le haut de votre corps est plus petit que le bas
- vos vêtements du haut sont 1 à 2 tailles plus petits que vos vêtements du bas.

Vous êtes plus « poivron » si :

- vous avez un généreux postérieur, une poitrine volumineuse et la taille fine
- vous avez une silhouette de la forme d'un sablier classique
- vous avez tendance à prendre du poids surtout au niveau des bras et des jambes.

Vous êtes plus « carotte » si :

- vos épaules sont assez larges, vos hanches sont plus étroites
- votre postérieur et votre poitrine sont assez petits
- vous n'avez pas tendance à épaissir de la taille
- votre taille n'est pas très définie

Vous êtes plus « pomme » si :

- vous stockez des graisses à la taille plutôt qu'aux hanches et aux cuisses
- vous êtes plutôt de petite taille
- votre postérieur a tendance à être plat

QUELLE EST VOTRE OSSATURE ?

Voici une façon rapide de définir à quelle catégorie vous appartenez. Sans être prouvée scientifiquement, elle est tout de même valable. Encerclez votre poignet avec votre pouce et votre majeur. Si le majeur chevauche votre pouce, vous avez probablement une petite ossature. Si votre majeur et votre pouce se touchent, vous avez une ossature moyenne. Et si votre majeur et votre pouce ne se touchent pas, vous avez probablement une grosse ossature.

Rappelez-vous : pour une santé optimale, toutes les morphologies ont besoin d'un programme d'exercices équilibré impliquant une combinaison de cardio, de musculation et de souplesse. Un certain type de morphologie peut bénéficier davantage d'un type d'exercice en particulier. Vous trouverez aux pages suivantes différentes séries d'exercices conçus pour chaque type de morphologie.

L'INCIDENCE DES HORMONES SUR NOTRE MORPHOLOGIE

La distribution des graisses est liée directement à deux hormones principales : la lipoprotéine lipase, ou LPL, qui favorise l'accumulation des graisses, et la lipase hormonosensible, ou LHS, qui favorise la distribution de la graisse dans le sang et sa dépense.

- Plus de LPL au niveau du ventre et moins de LHS au niveau des hanches crée une morphologie en forme de pomme.
- Plus de LPL au niveau des hanches et à l'arrière des bras, et moins de LHS dans la partie supérieure du corps crée une morphologie en forme de poire.

La forme poire

BUT Profiler les hanches et les cuisses ; créer un équilibre visuel entre les parties supérieure et inférieure du corps.

MESURE Amincir la partie inférieure du corps, tout en modelant et en définissant la partie supérieure ; cela favorisera une meilleure santé globale et une modification optimale de la morphologie.

CIBLE Essayer d'effectuer ces exercices 4 fois par semaine.

OUVRE-BOÎTES ET EXTENSION

Son effet : amincit les hanches et l'extérieur des cuisses, et aide à allonger et à tonifier les muscles de toute la jambe.
Le nombre de répétitions : 12 à 16 lentes de chaque côté.

1 Allongez-vous sur le côté, les genoux fléchis comme si vous étiez assis sur une chaise. En joignant les pieds et les genoux, soulevez vos pieds ; c'est votre position de départ.

2 En maintenant les pieds joints, servez-vous des muscles de la cuisse du dessus pour soulever le genou du dessus aussi haut que possible et allongez la jambe complètement. Ramenez la jambe à sa position initiale et recommencez. Répétez de l'autre côté.

ÉLÉVATION FRONTALE ET LATÉRALE DES BRAS

Son effet : modèle et tonifie le devant des bras et ajoute de la définition aux épaules.
Le nombre de répétitions : 4 secondes vers le haut, 4 vers l'extérieur, 8 vers le bas, à répéter 4 fois.

1 Tenez-vous debout, le corps bien droit, un haltère (ou bouteille d'eau) dans chaque main, les paumes tournées vers le haut.

2 Levez les poids lentement jusqu'au niveau des yeux, en comptant 4 secondes, en gardant vos coudes dans le prolongement des poignets.

3 Allongez les bras vers le côté, jusqu'au niveau des épaules, en comptant 4 secondes, et ramenez les bras à la position initiale en comptant 8 secondes. Répétez.

CROISEMENT DES JAMBES À QUATRE PATTES

Son effet : cible la zone extérieure du postérieur, soulève et raffermit les fesses.
Le nombre de répétitions : 16 de chaque jambe.

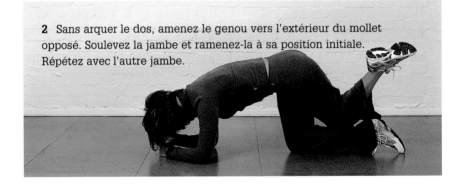

1 Placez-vous à quatre pattes, posez votre front sur vos mains formant des poings plutôt lâches. Soulevez un genou, la plante du pied dirigée vers le plafond.

2 Sans arquer le dos, amenez le genou vers l'extérieur du mollet opposé. Soulevez la jambe et ramenez-la à sa position initiale. Répétez avec l'autre jambe.

LE CARDIO

La natation est une excellente forme d'exercice cardiovasculaire qui stimule votre cœur et vos poumons. La brasse et le crawl sont particulièrement bénéfiques pour les personnes à la morphologie poire ; les poussées mobilisent tous les muscles du dos, les tonifient, les modèlent et les définissent. Quatre fois 30 minutes par semaine modèleront vos deltoïdes et amélioreront votre endurance cardiovasculaire.

La forme carotte

BUT   Définir et tonifier la taille.

MESURE   Il existe deux ensembles de muscles obliques qui aident à créer une taille fine ; en les sollicitant, vous obtiendrez une taille plus petite et plus tonifiée. La cage thoracique prend souvent de l'expansion à la suite d'un stress ou d'une grossesse, ce qui fait que votre tronc paraît plus large. En maîtrisant la connexion côte-hanche (voir page 49), vous constaterez vraiment une différence.

CIBLE   Votre corps bénéficiera de ces exercices si vous les faites 5 fois par semaine.

REDRESSEMENT OBLIQUE AIDÉ D'UNE SERVIETTE

Son effet : : aide à allonger et à raffermir une taille courte et charnue.
Le nombre de répétitions : parce qu'il s'agit d'un exercice un peu difficile, effectuez-en le nombre que vous pouvez et augmentez graduellement jusqu'à 10, de chaque côté.

1 Allongez-vous sur le côté et placez une serviette roulée sous votre taille. Alignez bien vos deux hanches. Allongez un bras sous la tête, étirez vos jambes et tirez sur vos abdominaux pour avoir un bon support. Posez votre bras du haut sur le sol devant vous.

2 En mobilisant les muscles de votre taille, soulevez votre tronc vers le haut. Évitez de pousser avec la main du dessus pour vous aider – ne l'utilisez que pour garder l'équilibre. Revenez au sol en contrôlant. Effectuez le nombre de répétitions requises et répétez de l'autre côté.

REDRESSEMENT AVEC BOUTEILLE D'EAU

Son effet : définit et amincit la taille tout en aplatissant le bas-ventre.
Le nombre de répétitions : la séquence complète, 3 fois.

1 Allongez-vous au sol, les genoux fléchis et établissez la connexion côte-hanche. Tenez une bouteille d'eau entre vos mains.
Soulevez votre tronc.

2 Gardez vos épaules bien détendues tout en soulevant votre torse pendant que vous allez porter la bouteille d'eau vers l'extérieur de votre genou droit.

3 Effectuez 4 fois vers le côté droit, et faites passer la bouteille d'eau au-dessus de vos genoux 5 fois avant de répéter 4 fois du côté gauche.

LE CARDIO

Les personnes à la morphologie en forme de carotte devraient favoriser des activités complètes. Les sports d'équipe comme le soccer et le hockey procurent un excellent entraînement aérobique, tout en agissant sur la coordination et la vitesse. Si vous êtes plus solitaire, essayez les activités au gym telles que le *step* (marche) et les cours de cardio. Visez un minimum de 3 séances de cardio structurées par semaine.

PORTÉE LATÉRALE EN POSITION DEBOUT

Son effet : étire et raffermit les muscles obliques de la taille..

Le nombre de répétitions : 4 séries de 16 répétitions de chaque côté.

1 Tenez-vous debout, le corps bien droit. Tirez vos abdominaux vers l'intérieur et établissez la connexion côte-hanche. Allongez un bras au-dessus de votre tête et croisez l'autre bras devant vous.

2 Étirez-vous latéralement avec le bras qui est tendu tout en amenant l'autre bras vers l'autre côté de votre taille. Effectuez de petits mouvements contrôlés. Répétez de l'autre côté.

La forme poivron

BUT Raffermir et modeler toutes vos courbes, sans en augmenter le volume.

MESURE Les exercices de la présente section ciblent plus d'un groupe musculaire à la fois. Vous obtenez donc les bienfaits d'une dépense calorique supplémentaire ainsi que l'effet tonifiant de vos courbes.

CIBLE Effectuer ces exercices 4 fois par semaine, ainsi que le programme de cardio.

PLIÉ DU TRICEPS AVEC EXTENSION DU BRAS

Son effet : profile le corps entier, raffermit l'arrière des bras et les fesses.
Le nombre de répétitions : 12 à 16.

1 Assoyez-vous sur le bord d'une chaise. Posez la base de vos mains sur la chaise, les doigts pointés vers le sol.

2 En vous supportant avec vos mains, descendez vos fesses en laissant vos coudes pointer vers l'arrière. N'allez pas trop bas.

3 Redressez vos bras et poussez vos hanches vers l'avant en étirant un bras en diagonale au-dessus de votre tête.

FENTE AVANT EN 4 TEMPS

Son effet : modèle, renforce et allonge la cuisse.
Sollicite presque tous les muscles des cuisses.
Le nombre de répétitions : 12 lentes de chaque côté.

1 Placez-vous debout au sol.

2 Allongez une jambe vers l'arrière. Le genou droit sera légèrement fléchi. Descendez le genou de la jambe arrière jusqu'au sol.

3 Redressez le genou de votre jambe arrière et ramenez-la en avant, et tenez-vous droit à nouveau, en comptant 4 secondes. Répétez de l'autre côté lentement et en contrôlant.

CONSEIL IMPORTANT

Le genou devant doit être directement au-dessus de votre cheville sans dépasser les orteils et sans céder vers l'intérieur. Si vous tirez une ligne imaginaire entre votre rotule et vos orteils, celle-ci devrait être alignée avec votre deuxième orteil. Si vous éprouvez des difficultés d'équilibre en effectuant cette fente, posez vos mains sur le dossier d'une chaise.

FLEXION ABDOMINALE AVEC PAUSE

Son effet : aplatit et raffermit toute la sangle abdominale.
Le nombre de répétitions : 12 à 16.

1 Allongez-vous sur le dos, les jambes fléchies et vos mains au sol vis-à-vis vos cuisses. Faites la connexion côte-hanche en sentant bien vos abdominaux travailler.

2 Relevez votre tronc supérieur et posez vos mains à l'extérieur des cuisses. Comptez 4 secondes et étirez vos bras au-dessus de votre tête avant de les ramener à leur position initiale.

LE CARDIO

Les personnes à la morphologie poivron ont tendance à accumuler des graisses ; elles doivent donc dépenser beaucoup d'énergie par le biais d'exercices cardiovasculaires. La marche rapide et le jogging comptent parmi les activités les plus accessibles et les plus efficaces. Ces activités aideront aussi à augmenter la densité osseuse, un facteur important comme protection contre l'ostéoporose. À mesure que votre forme s'améliorera, augmentez votre dépense calorique en introduisant des intervalles de saut à la corde.

La forme pomme

BUT Aplatir les abdominaux réfractaires à l'entraînement ! Amincir votre taille.

MESURE Assurez-vous de toujours établir la connexion côte-hanche (voir page 49) avant de débuter ces exercices pour éviter de mettre de la pression sur la région lombaire.

CIBLE À faire 6 fois par semaine. Les muscles abdominaux réagissent particulièrement bien à un entraînement quotidien, mais accordez-leur une journée de congé. Combinez ces exercices à un programme cardiovasculaire. Vous constaterez des résultats rapidement.

FLEXION ABDOMINALE AVEC SERVIETTE

Son effet : resserre les abdominaux supérieurs, particulièrement autour des côtes.
Le nombre de répétitions : 16.

1 Allongez-vous au sol, les genoux fléchis. Placez une serviette roulée sur le sol entre vos fesses et vos pieds, juste devant vos doigts allongés. Avancez les pieds jusqu'à ce que vous sentiez que vos orteils commencent à se relever. Établissez la connexion côte-hanche.

2 Faites lentement une flexion à partir du sternum, soulevez vos doigts et allez toucher le sol de l'autre côté de la serviette. Vous devez vous concentrer sur la contraction des côtes vers l'intérieur, plutôt que l'extérieur.

PONT AVEC JAMBE POINTÉE

Son effet : allonge et raffermit les abdominaux.
Le nombre de répétitions : 6 fois par jambe.

1 Allongez-vous au sol, la colonne vertébrale en position neutre et les genoux fléchis. Avancez les pieds jusqu'à ce que vous sentiez vos orteils se soulever du sol. Tirez bien votre nombril vers le sol pour que les abdominaux soient bien contractés avant de débuter votre redressement.

2 Décollez votre dos du sol, une vertèbre à la fois. Commencez lentement et utilisez vos abdominaux pour créer le mouvement. Contractez bien vos abdominaux lorsque vos hanches sont en haut et gardez vos genoux à une bonne distance, formant un pont.

3 Allongez une jambe droit devant vous en gardant vos genoux collés et vos abdominaux bien contractés.

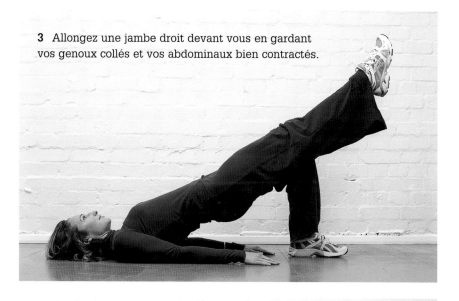

4 Soulevez la jambe à partir de la hanche et pointez les orteils avant de ramener le pied au sol. Ramenez lentement le tronc au sol en utilisant vos abdominaux pour contrôler le mouvement.

FLEXION ABDOMINALE AVEC
ABAISSEMENT DE JAMBE

Son effet : raffermit et aplatit tous les abdominaux,
particulièrement le bas-ventre.

Le nombre de répétitions : Augmentez jusqu'à 12 répétitions.
Alternez les pieds chaque fois.

1 Allongez-vous sur le dos et
établissez la connexion côte-
hanche. Soulevez et fléchissez
les jambes dans le
prolongement des hanches,
les tibias parallèles au sol.

2 Posez vos mains derrière la tête et relevez la
partie supérieure du corps. Vous devriez sentir vos
abdominaux travailler.

LE CARDIO

La marche rapide et le yoga ashtanga constituent la meilleure combinaison d'exercices pour les personnes à la forme pomme. La marche rapide sera un plus grand défi, l'effort exigeant et les torsions du yoga ashtanga affineront votre taille et réduiront vos accumulations de graisse.

Le stress est souvent une cause d'accumulation de graisse à la taille.

Utilisez l'exercice pour l'affronter.

3 Descendez lentement votre jambe droite pour effleurer le sol avec le talon, remontez la jambe et baissez la jambe gauche. Si le mouvement est difficile, essayez de garder les épaules au sol.

Passez à l'action...

C'est le moment de perdre du poids

Ça y est! Vos plans d'action se trouvent aux pages suivantes. Chacun propose une façon logique, progressive et réalisable d'atteindre vos objectifs. Vous disposez d'un bon choix de plans, conçus pour relever votre propre défi selon le rythme qui vous convient. Le présent chapitre a été rédigé pour vous aider à réussir. Donc, c'est parti!

CE QUE VOUS DEVEZ FAIRE

Définissez d'abord une perte de poids réaliste et choisissez un plan d'action correspondant. Chaque plan énumère en détail, étape par étape, l'alimentation et le niveau d'activité physique requis pour créer votre écart énergétique.

Les plans visent d'abord à diminuer votre gras corporel et votre poids à l'aide d'exercices cardiovasculaires avant d'introduire des exercices de tonification plus précis. Les idées de menus évoluent aussi au gré de vos besoins changeants en calories; vous devez en tenir compte. Il est possible que vos goûts changent tout naturellement pendant votre processus de perte de poids.

COMMENT FONCTIONNENT LES PLANS D'ACTION

Chaque plan d'action est divisé en phases de 4 semaines comportant un thème précis. Chaque semaine comporte une série progressive de tâches réalisables qui vous aident à atteindre vos objectifs et à renforcer votre modèle de réussite.

Vous déterminez ce que vous allez manger et comment vous allez faire bouger votre corps afin d'intégrer ces plans d'action à votre quotidien. Une fois votre plan d'action terminé, vous passerez à la phase de consolidation de 4 semaines; vous confirmerez vos nouvelles habitudes et maintiendrez votre nouveau poids.

CHOISIR LE PLAN D'ACTION QUI VOUS CONVIENT

Vous devez viser à apporter des changements à votre mode de vie et à vos habitudes alimentaires à long terme, et non temporaires.

Une perte de poids d'environ 5 à 10 pour cent de son poids initial après 6 mois constitue un objectif réaliste. En plus de vous sentir mieux et d'avoir meilleure mine, vous serez aussi en meilleure santé. Une telle perte de poids permet d'améliorer de façon considérable la pression sanguine, la résistance à l'insuline et le taux de cholestérol, et elle peut être réalisée par une restriction modérée des calories et de l'activité physique modérée également.

ÊTRE PRÊT

Comme pour un voyage, consacrez du temps à vous préparer. Pour partir du bon pied, jetez un dernier coup d'œil à ce que vous avez appris, ne serait-ce que pour vous rafraîchir la mémoire. J'ai conçu les plans d'action afin que vous puissiez réellement réussir ; assurer le suivi de votre progrès en constitue une partie importante. Des recherches ont démontré de façon concluante que plus vous avez d'information, plus votre perte de poids a des chances de réussir. Il y a donc une série d'aide-mémoires qui accompagnent vos plans d'action. Ils ont été conçus pour vous aider à réussir.

INTÉGREZ LE « COUVRE-FEU POUR LES GLUCIDES »

Le « couvre-feu pour les glucides » signifie : bannissez les féculents – pain, pâtes, riz, pommes de terre ou céréales – après 17 heures. Pas de panique ! Votre repas peut être composé d'une grande variété d'aliments nutritifs, tels que viandes et poissons maigres, fruits, légumes, légumineuses et produits laitiers tout à fait succulents ! Pour bon nombre de mes clients, le « couvre-feu pour les glucides » est à l'origine du succès de leur contrôle de poids ; il peut vous aider vous aussi. Il permet en outre de contrôler vos niveaux d'insuline, ce qui signifie qu'il est plus facile de stabiliser vos niveaux d'énergie, un élément important pour perdre ses kilos en trop.

SURVEILLEZ LES PORTIONS – QUELQUES TRUCS

Peser ses aliments… quelle tâche ennuyeuse ! Simplifions les choses. Pour maîtriser la composition de vos repas, créez-vous un panier de « visualisation des portions ». Ajoutez-y des objets de tous les jours qui sont de la même taille que les portions d'aliments que vous devriez consommer. En peu de temps, vous connaîtrez si bien la taille de vos portions que vous ne vous poserez plus de questions. Vous pouvez manger vos aliments préférés, mais vous en contrôlez la quantité et le nombre de calories que vous consommez. Servez-vous des objets suivants pour avoir une idée des portions que vous devriez viser.

Pensez à…	Pour…
Deux dés	Noix et fromage
Jeu de cartes	Viande et poisson
1 c. à thé (à café)	Huiles et gras
Balle de tennis	Légumes
Balle de golf	Riz ou couscous non cuit
Souris informatique	Portion cuite de féculents

Comment procéder

- Notez vos mensurations et vos objectifs dans le formulaire «Ligne de départ», ainsi que l'écart énergétique que vous voulez établir.
- Choisissez un plan d'action correspondant au poids que vous souhaitez perdre.
- Prenez en note les menus du plan.
- Photocopiez la fiche quotidienne pour inscrire les données pertinentes.
- Photocopiez le bilan hebdomadaire pour identifier les obstacles et ajuster en cas de besoin.

LIGNE DE DÉPART

Date : _ _ _ _ _ _ _ _ _ _ _ _ _ _ _ _ _ _ _
J'ai choisi le plan d'action de perte
de poids _ _ _ _ _ _ _ _ _ _ _ _ _ _ _ _ _
Mon poids actuel : _ _ _ _ _ _ _ _ _ _ _ _ _
Mon poids visé : _ _ _ _ _ _ _ _ _ _ _ _ _
Mes mensurations…
Courant :   Objectif :
Poitrine _ _ _ _ _ _ _ _   Poitrine _ _ _ _ _ _
Taille _ _ _ _ _ _ _ _ _   Taille _ _ _ _ _ _ _
Hanches _ _ _ _ _ _ _   Hanches _ _ _ _ _ _
Cuisse _ _ _ _ _ _ _ _   Cuisse _ _ _ _ _ _
Je commence mon plan d'action le _ _ _
La date de fin prévue est le _ _ _ _ _ _ _
Je suis prêt à modifier de 10 pour
cent mes objectifs visés :
Mes besoins énergétiques courants
sont de _ _ _ _ _ _ _ _ _ _ _ _ _ _ _ _ _
Mon degré d'activité physique actuel
est de _ _ _ _ _ _ _ _ _ _ _ _ _ _ _ _ _
Mon écart énergétique visé est de
500 / 750 / 1 000 calories (encerclez
votre choix)

FICHE QUOTIDIENNE

Jour : _ _ _ _ _ _ _ _ Date : _ _ _ _ _ _ _ _ _

matin : _ _ _ _ _ _ _ _ _ _ _ _ _ _ _ _ _

midi : _ _ _ _ _ _ _ _ _ _ _ _ _ _ _ _ _

soir (n'oubliez pas le «couvre-feu pour
les glucides») : _ _ _ _ _ _ _ _ _ _ _ _ _

1re collation : _ _ _ _ _ _ _ _ _ _ _ _ _ _ _ _
2e collation : _ _ _ _ _ _ _ _ _ _ _ _ _ _ _ _

Aide-mémoire alimentaire :
Ai-je réussi à respecter le «couvre-feu
pour les glucides»? OUI/NON
Ai-je bu 2 litres d'eau? OUI/NON
Ai-je porté attention à ma consommation
de gras? OUI/NON
Ai-je consommé au moins cinq portions
de fruits et légumes? OUI/NON

Aide-mémoire des exercices :
Nombre pas au podomètre aujourd'hui :

_ _
Ai-je fait une séance d'exercices
structurés aujourd'hui? OUI/NON

CHOSES À NE PAS OUBLIER

- Bien que vous croyiez possible de perdre plus de poids que prévu, vous devez préserver votre masse corporelle maigre pour maintenir votre métabolisme basal; votre corps brûlera ainsi des graisses plutôt que de les stocker.
- Certaines semaines, vous ne perdrez peut-être pas de poids. Ne soyez pas découragé – continuez votre plan.

BILAN HEBDOMADAIRE

Cette semaine, j'ai fait de l'exercice structuré :

lundi ▢, mardi ▢, mercredi ▢
jeudi ▢, vendredi ▢, samedi ▢
dimanche ▢

Mon podomètre affiche chaque jour le nombre de
pas suivants : _ _ _ _ _ _ _ _
ou
Le temps global consacré à des activités
physiques a été de _ _ _ _ _ minutes.

J'ai consommé chaque jour entre
_ _ _ _ _ _ _ _ _ _ et _ _ _ _ _ _ _ _ _ _ calories.

J'ai réussi à surmonter les obstacles suivants :
1. _
2. _
3. _

Les obstacles qu'il me reste à surmonter :
1. _
2. _
3. _

Mon plan de secours : _ _ _ _ _ _ _ _ _ _ _ _ _ _ _ _
_ _
_ _

Je vais le mettre à exécution le _ _ _ _ _ _ _ _ _

Je considère que ma semaine a été une semaine :
de progrès ▢
de maintien ▢
de limitation des dégâts. ▢

Mon poids actuel _ _ _ _ _ _ _ _ _ _ _ _ _ _ _ _ _ _
Mon poids visé _ _ _ _ _ _ _ _ _ _ _ _ _ _ _ _ _ _

Mes mensurations…
Courantes :   Visées :
Poitrine _ _ _ _ _ _ _ _ _   Poitrine _ _ _ _ _ _ _ _ _
Taille _ _ _ _ _ _ _ _ _ _   Taille _ _ _ _ _ _ _ _ _ _
Nombril _ _ _ _ _ _ _ _ _   Nombril _ _ _ _ _ _ _ _ _
Hanches _ _ _ _ _ _ _ _   Hanches _ _ _ _ _ _ _ _
Cuisses _ _ _ _ _ _ _ _ _   Cuisses _ _ _ _ _ _ _ _ _

Je commence mon plan d'action le _ _ _ _ _ _ _ _ _
La date de fin prévue est le _ _ _ _ _ _ _ _ _ _ _ _
Je suis prêt à modifier de 10 pour cent
mes objectifs
Mes besoins énergétiques courants sont de _ _ _ _
Mon degré d'activité physique actuel est de _ _ _ _
Mon écart énergétique visé est de 500 / 750 / 1 000
calories (encerclez votre choix).

FAITES PREUVE D'ASSIDUITÉ

À cette étape-ci de votre parcours, je dois vous rappeler quelques éléments essentiels :
- Ce n'est pas le nombre calories que vous ingérez, ni combien de calories vous pouvez brûler par
de l'exercice qui compte, mais bien l'assiduité dont vous faites preuve dans vos efforts pour créer
un écart énergétique. Si vous comprenez ceci dès le départ, votre corps sera en mesure de vous
faire perdre vos kilos en trop et, donc, atteindre vos objectifs.

Combien de calories me faut-il?

Au premier chapitre, vous avez établi à quel point vous êtes actif physiquement (page 15). Voici une façon simple de calculer le nombre de calories qu'il vous faut : utilisez le tableau de la page 17 pour identifier votre facteur d'activité. Multipliez votre poids en livres (poids en kg par 0,450 pour convertir) par votre facteur d'activité. Le résultat représente le nombre approximatif de calories dont vous avez besoin présentement pour maintenir votre poids.

LE CALCUL SE FAIT DE LA FAÇON SUIVANTE :

Facteur d'activité x poids en lb = besoins énergétiques courants

Par exemple, une femme active de 150 lb aurait besoin de 2 250 calories par jour (15 x 150 = 2 250).

Pour perdre du poids de façon sécuritaire et efficace, retranchez 500 du résultat et vous aurez votre nouvelle cible. Une réduction de 1 000 calories par jour est possible, bien que difficile à maintenir. Retranchez d'abord 500 calories ; vous pourrez en retrancher davantage graduellement.

À noter : ne consommez jamais moins de 1 500 calories par jour à moins d'être sous observation médicale.

BONNES HABITUDES ALIMENTAIRES

1. Buvez de l'eau, souvent et en petites quantités, au cours de la journée.

2. Mangez le matin, pas nécessairement au lever du lit, mais plus tôt que trop tard afin de rétablir votre glycémie et d'alimenter votre cerveau et votre corps.

3. Consommez au minimum 5 portions de fruits et de légumes par jour. Mangez-les en collation et à chaque repas, vous atteindrez facilement cet objectif.

4. Visez la couleur. Assurez-vous de consommer une belle variété de fruits et de légumes de couleur – pensez jaune, rouge, vert et orange.

5. Variez votre alimentation autant que possible. Si vos dix doigts suffisent pour compter le nombre d'aliments différents que vous consommez, ajoutez de la variété. Vous disposerez ainsi d'un plus grand choix de nutriments et de sources de fibres.

6. Évitez de ne pas manger pendant de longues périodes. Votre glycémie sera ainsi stabilisée et vous aurez moins tendance à trop manger ou choisir une collation malsaine plus tard.

7. Évaluez votre faim. Sur une échelle de 1 à 5 (1 = affamé, 5 = repu). Essayez de manger avant d'en arriver à « 1 » et cessez de manger avant d'en arriver à « 5 ».

8. Prenez le temps de manger. Vous mangerez ainsi de façon plus équilibrée et éviterez la surconsommation de calories. Les gens pressés à l'heure des repas consomment 15 pour cent plus de calories.

9. Mastiquez bien vos aliments. Une bonne mastication peut favoriser la digestion et même réduire les symptômes associés au syndrome du côlon irritable.

10. Évitez les diètes miracles – elles n'existent pas. Pour être en santé, il faut manger une variété d'aliments de qualité de façon modérée.

Plan d'action n° 1

Pour ceux qui souhaitent perdre environ 20 kg (44 lb). Ce plan dure
28 semaines et comporte 7 phases de 4 semaines chacune.

SEMAINES 1 À 4

1 **Objectifs d'activité physique :** 4 séances de 30 minutes d'exercices
structurés et 7 000 pas, chaque jour, d'ici la fin de cette phase.
Objectifs d'alimentation saine : Engagez-vous à respecter le « couvre-feu
pour les glucides » au moins 5 soirs par semaine.

SEMAINES 5 À 8

2 **Objectifs d'activité physique :** 4 séances d'exercices structurés
(2 x 30 minutes, 2 x 45 minutes), et jusqu'à 9 000 pas par jour, d'ici la fin
de cette phase.
Objectifs d'alimentation saine : Respectez le « couvre-feu pour les glucides »
chaque soir, et surveillez les portions. Essayez de contrôler vos portions d'ici la
fin de cette phase et d'atteindre vos objectifs caloriques.

SEMAINES 9 À 12

3 **Objectifs d'activité physique :** 4 séances de 45 minutes d'exercices
structurés et 10 000 pas par jour, d'ici la fin de cette phase.
Objectifs d'alimentation saine : Veillez à ne pas consommer moins
de 1 500 calories par jour, respectez le « couvre-feu pour les glucides » et buvez
environ 2 litres d'eau par jour.

SEMAINES 13 À 16

4 **Objectifs d'activité physique :** 10 000 pas chaque jour. Essayez d'en faire
une activité physique quotidienne indispensable d'ici la fin de cette phase.
Continuez de faire 4 séances d'exercices structurés chaque semaine.
Objectifs d'alimentation saine : Suivez les conseils du chapitre 5 et
continuez de respecter le « couvre-feu pour les glucides ». Consommez 5 portions
de fruits et de légumes, moins de 60 g (2 oz) de gras chaque jour et une portion
de protéine maigre à chaque repas, buvez 2 litres d'eau. Planifiez des repas de
remplacement dans le cadre de vos plans de secours.

5 SEMAINES 17 À 20

Objectifs d'activité physique : 4 séances de 45 à 60 minutes d'exercices structurés par semaine et tentez d'incorporer des exercices d'intensité plus élevée dans 2 de vos 4 séances hebdomadaires. Continuez de faire 10 000 pas par jour, mais lors de vos journées sans exercice, essayez d'augmenter à 12 000 pas par jour, en ajoutant des accélérations.

Objectifs d'alimentation saine : Introduisez des soupes à vos repas pour ajouter du volume à vos repas tout en consommant moins de calories. Planifiez vos repas d'avance chaque semaine pour être mieux préparé au moment de faire les emplettes.

6 SEMAINES 21 À 24

Objectifs d'activité physique : 4 séances de 45 minutes d'exercices structurés et 10 000 pas par jour. Intégrez un cours de détente à l'une de vos sessions des semaines 2 et 4 de cette phase. Essayez une nouvelle activité (yoga ashtanga ou Pilates).

Objectifs d'alimentation saine : Accordez-vous un répit un soir par semaine et mangez ce que vous voulez, mais attention aux portions. Ayez confiance en vos nouvelles compétences et habiletés.

7 SEMAINES 25 À 28

Objectifs d'activité physique : 4 séances de 60 minutes d'exercices structurés en utilisant des techniques d'entraînement par intervalles pour 2 de vos 4 séances hebdomadaires. Si possible, ajoutez une séance de cardio par semaine et prolongez-la ; faites du jogging ou marchez pendant au moins 60 minutes. Faites un minimum de 10 000 pas par jour.

Objectifs d'alimentation saine : Respecter un double « couvre-feu pour les glucides » pendant les semaines 25 et 27. Faites de votre repas du matin ou du midi votre deuxième repas sans glucides. Un seul repas par jour devrait comporter des glucides.

MAINTENEZ VOTRE NOUVEAU POIDS !

Objectifs d'activité physique : Continuez de faire vos 10 000 pas par jour avec des accélérations et 4 séances d'exercices structurés par semaine.

Objectifs d'alimentation saine : Pour les femmes, entre 1 500 et 1 800 calories ; pour les hommes, entre 1 600 et 2 000 calories. Veillez à suivre les conseils de la page 84.

Plan d'action n° 2

Pour ceux qui souhaitent perdre environ 15 kg (33 lb). Ce plan dure
20 semaines et comporte 5 phases de 4 semaines chacune.

1 SEMAINES 1 À 4

Objectifs d'activité physique : 4 séances de 30 minutes d'exercices
structurés et 8 000 pas par jour, d'ici la fin de cette phase.

Objectifs d'alimentation saine : Engagez-vous à respecter le « couvre-feu
pour les glucides » au moins 5 soirs par semaine.

2 SEMAINES 5 À 8

Objectifs d'activité physique : 4 séances d'exercices structurés
(3 x 30 minutes, 1 x 45 minutes), et jusqu'à 10 000 pas par jour, d'ici la fin
de cette phase.

Objectifs d'alimentation saine : Respectez le « couvre-feu pour les glucides »
chaque soir de cette phase, et faites attention à la taille des portions.
Essayez de contrôler vos portions d'ici la fin de cette phase et d'atteindre
vos objectifs caloriques.

3 SEMAINES 9 À 12

Objectifs d'activité physique : Maintenez 10 000 pas par jour. Essayez d'en
faire une activité physique quotidienne indispensable d'ici la fin de cette phase.
Empruntez des détours à proximité de chez vous et de votre travail pour
atteindre ces objectifs. De plus, effectuez vos 4 sessions de 45 minutes
d'exercices structurés par semaine.

Objectifs d'alimentation saine : Surveillez votre apport nutritionnel et
continuez de respecter le « couvre-feu pour les glucides ». Consommez 5 portions
de fruits et de légumes, buvez 2 litres d'eau, consommez moins de 60 g (2 oz) de
gras chaque jour, et mangez une portion de protéine maigre à chaque repas.
Planifiez des repas de remplacement en cas d'imprévu.

4 SEMAINES 13 À 16

Objectifs d'activité physique : 4 séances de 45 à 60 minutes d'exercices structurés par semaine. Pour augmenter votre dépense énergétique, incorporez des exercices d'intensité plus élevée dans 1 de vos 4 séances hebdomadaires. Faites vos 10 000 pas par jour. Lors de vos journées sans exercice, essayez de passer à 12 000 pas par jour, en ajoutant des accélérations.

Objectifs d'alimentation saine : Introduisez des soupes santé pour ajouter du volume à vos repas tout en consommant moins de calories. Planifiez vos repas d'avance chaque semaine pour être mieux préparé au moment des emplettes.

5 SEMAINES 17 À 20

Objectifs d'activité physique : 4 séances de 60 minutes d'exercices structurés en utilisant des techniques d'entraînement par intervalles pour 2 de vos 4 séances hebdomadaires. Si possible, ajoutez une séance de cardio par semaine et prolongez-la ; faites du jogging ou faites une marche d'au moins 60 minutes. Faites un minimum de 10 000 pas par jour.

Objectifs d'alimentation saine : Respectez un double « couvre-feu pour les glucides » pendant les semaines 17 et 19. Faites de votre repas du matin ou du midi votre deuxième repas sans glucides, mais assurez-vous qu'un repas par jour en comporte.

MAINTENEZ VOTRE NOUVEAU POIDS !

Objectifs d'activité physique : 10 000 pas par jour avec des accélérations et 4 séances d'exercices structurés par semaine.

Objectifs d'alimentation saine : Pour les femmes, entre 1 500 et 1 800 calories et pour les hommes, entre 1 600 et 2 000 calories, en suivant les conseils de la page 87.

Plan d'action n° 3

Pour ceux qui souhaitent perdre environ 10 kg (22 lb). Ce plan dure 12 semaines et comporte 3 phases de 4 semaines chacune.

1 SEMAINES 1 À 4

Objectifs d'activité physique : 4 séances de 40 minutes d'exercices structurés par semaine et 9 000 pas par jour, d'ici la fin de cette phase.

Objectifs d'alimentation saine : Respectez le « couvre-feu pour les glucides » au moins 5 soirs par semaine, et surveillez vos portions. D'ici la troisième semaine, ajoutez une collation en après-midi pour maintenir votre niveau d'énergie.

2 SEMAINES 5 À 8

Objectifs d'activité physique : 4 séances d'exercices structurés (3 x 40 minutes, 1 x 50 minutes), et jusqu'à 10 000 pas par jour, d'ici la fin de cette phase. Introduisez chaque semaine du cardio par intervalles à vos séances d'exercices plus longues.

Objectifs d'alimentation saine : Respectez le « couvre-feu pour les glucides » chaque soir de cette phase et surveillez vos portions ; contrôlez-les d'ici la fin de cette phase. D'ici la fin de la semaine 7, suivez tous les conseils de la page 87 sur l'alimentation saine. Accordez-vous une soirée sans culpabilité pendant les semaines 6 et 8 et mangez ce que vous voulez tout en en contrôlant les portions.

3 SEMAINES 9 À 12

Objectifs d'activité physique : 4 séances de 60 minutes d'exercices structurés en utilisant des techniques d'entraînement par intervalles pour 2 de vos 4 séances hebdomadaires. Si possible, ajoutez une séance de cardio par semaine, et prolongez-la ; faites du jogging ou faites une marche d'au moins 60 minutes. Faites un minimum de 10 000 pas par jour.

Objectifs d'alimentation saine : Respectez un double « couvre-feu pour les glucides » 5 des 7 jours des semaines 9 et 11 de cette phase. Faites de votre repas du matin ou du midi votre autre repas sans glucides. Un repas par jour devrait en comporter.

MAINTENEZ VOTRE NOUVEAU POIDS !

Objectifs d'activité physique : 10 000 pas par jour, ainsi que des accélérations d'au moins 5 minutes et 4 séances d'exercices structurés de cardio par semaine.

Objectifs d'alimentation saine : Pour les femmes, entre 1 500 et 1 800 calories et pour les hommes, entre 1 600 et 2 000 calories. Suivez les conseils de la page 87 et surveillez vos portions.

La règle du 80-20 : Faire preuve de constance signifie bien faire, en moyenne, 80 pour cent du temps. Vous avez donc une marge de manœuvre de 20 pour cent pour les « erreurs de parcours », sans entraver votre perte de poids. Cette règle est très rassurante, n'est-ce pas ?

Plan d'action n° 4

Consiste en deux plans pour perdre environ 5 kg (11 lb). Le plan accéléré est plus rigide lorsque vous voulez obtenir des résultats rapidement (5 semaines, 2 phases). Le plan régulier nécessite 7 semaines et comporte aussi 2 phases.

PLAN ACCÉLÉRÉ

1 SEMAINES 1 À 3

Objectifs d'activité physique : 4 séances de 45 minutes d'exercices structurés chaque semaine et 10 000 pas par jour, d'ici la fin de cette phase. Effectuez 8 000 pas chaque jour d'ici la fin de la deuxième semaine.

Objectifs d'alimentation saine : Respectez le « couvre-feu pour les glucides » au moins 5 soirs par semaine, et surveillez étroitement vos portions. D'ici la troisième semaine, ajoutez une collation en après-midi pour maintenir votre niveau d'énergie.

2 SEMAINES 4 À 5

Objectifs d'activité physique : 4 séances de 60 minutes d'exercices structurés en utilisant des techniques d'entraînement par intervalles pour 2 de vos 4 séances hebdomadaires. Si possible, ajoutez une séance de cardio de plus par semaine et, idéalement, prolongez-la. Faites un minimum de 10 000 pas par jour. Recommencez à faire des marches avec des accélérations – votre forme et votre santé s'amélioreront par la même occasion.

Objectifs d'alimentation saine : Respectez un double « couvre-feu pour les glucides » 3 des 7 jours pendant la 4e semaine et 4 des 7 jours de la 5e semaine. Faites de votre repas du matin ou du midi votre autre repas sans glucides, mais un repas doit en comporter. Vos portions contrôlées devraient vous rassasier ; des petits-déjeuners copieux vous donneront de l'énergie.

MAINTENEZ VOTRE NOUVEAU POIDS !

Objectifs d'activité physique : 10 000 pas par jour, ainsi que des accélérations pendant au moins 5 minutes chaque jour. Ajoutez 4 séances de cardio d'exercices structurés par semaine.

Objectifs d'alimentation saine : Pour les femmes, entre 1 500 et 1 800 calories et pour les hommes entre 1 600 et 2 000 calories ; suivez les conseils de la page 87 et surveillez vos portions.

1 SEMAINES 1 À 4

Objectifs d'activité physique : 4 séances de 40 minutes d'exercices structurés chaque semaine et 9 000 pas par jour, d'ici la fin de cette phase. Faites 8 000 pas chaque jour d'ici la fin de la troisième semaine.

Objectifs d'alimentation saine : Respectez le « couvre-feu pour les glucides » au moins 6 soirs par semaine et surveillez étroitement vos portions. À la troisième semaine, respectez le « couvre-feu pour les glucides » chaque soir. Prenez une collation en après-midi pour maintenir votre niveau d'énergie.

2 SEMAINES 5 À 7

Objectifs d'activité physique : 4 séances de 60 minutes d'exercices structurés en utilisant des techniques d'entraînement par intervalles pour 2 de vos 4 séances hebdomadaires. Si possible, ajoutez une séance de cardio de plus par semaine, sinon, assurez-vous de faire au moins 2 sessions de plus d'ici la fin de cette phase et, idéalement, prolongez-les ; faites du jogging ou faites une marche d'au moins 60 minutes et un minimum de 10 000 pas par jour. Recommencez à faire des marches avec des accélérations ; votre forme et votre santé s'amélioreront par la même occasion. Faites une séance d'affinement de la taille pendant 3 de vos 4 séances d'entraînements structurés.

Objectifs d'alimentation saine : Respectez un double « couvre-feu pour les glucides » 3 des 7 jours pendant les 5e et 6e semaines et 4 des 7 jours de la 7e semaine. Faites de votre repas du matin ou du midi votre autre repas sans glucides. Un repas par jour devrait comporter des glucides. Vos portions contrôlées devraient vous rassasier ; les petits-déjeuners vous donnent de l'énergie.

MAINTENEZ VOTRE NOUVEAU POIDS !

Objectifs d'activité physique : 10 000 pas par jour, ainsi que des accélérations d'au moins 5 minutes chaque jour et 4 séances d'exercices structurés de cardio par semaine. Faites une séance d'affinement de la taille pendant 4 jours par semaine.

Objectifs d'alimentation saine : Pour les femmes, entre 1 500 et 1 800 calories et pour les hommes, entre 1 600 et 2 000 calories ; suivez les conseils de la page 87 et surveillez vos portions. Respectez un double « couvre-feu pour les glucides » deux fois par semaine.

Plan d'action n° 5

Consiste en deux plans pour perdre environ 2 kg (4,5 lb). Le plan accéléré est plus strict, pour ceux qui veulent obtenir des résultats rapidement. Il nécessite 2 semaines et est divisé en 2 phases. Le plan régulier nécessite 4 semaines et comporte aussi 2 phases. Vous avez peu de poids à perdre, mais vous devrez bien respecter le plan d'action si vous voulez voir une différence en si peu de temps.

PLAN ACCÉLÉRÉ

1 SEMAINE 1

Objectifs d'activité physique : 10 000 pas par jour, ainsi qu'une marche d'au moins 10 minutes avec des accélérations, divisée en 2 tranches de 5 minutes. Ajoutez 4 séances d'exercices structurés cardio, chaque semaine, l'une d'elles étant un entraînement de tonification moins intense tiré des exercices spécifiques à votre morphologie. Ajoutez un entraînement d'affinement de la taille à au moins 3 séances.

Objectifs d'alimentation saine : Pour les femmes, entre 1 500 et 1 800 calories et pour les hommes, entre 1 600 et 2 000 calories. Suivez les conseils de la page 87, surveillez vos portions et respectez un double « couvre-feu pour les glucides » 4 des 7 jours de cette semaine. Prenez un petit-déjeuner copieux chaque jour.

2 SEMAINE 2

Objectifs d'activité physique : 10 000 pas par jour, ainsi que des accélérations pendant au moins 10 minutes chaque jour, divisés en 2 tranches de 5 minutes, une le matin et une autre plus tard en après-midi. Ajoutez 4 séances d'exercices structurés cardio chaque semaine, choisissez un exercice selon votre morphologie et faites-le 3 fois cette semaine avec votre séance d'exercice structuré. Si possible, ajoutez une cinquième séance supplémentaire d'un entraînement moins exigeant et plus tonifiant (Pilates ou yoga ashtanga). Veillez à inclure l'exercice d'affinement de la taille à au moins 3 de ces séances.

Objectifs d'alimentation saine : Pour les femmes, entre 1 500 et 1 800 calories et pour les hommes, entre 1 600 et 2 000 calories. Suivez les conseils de la page 87, contrôlez vos portions et respectez un double « couvre-feu pour les glucides » 4 des 7 jours de cette semaine. Débutez votre journée avec un petit-déjeuner copieux.

1 SEMAINES 1 ET 2

Objectifs d'activité physique : 10 000 pas par jour, ainsi qu'une marche d'au moins 5 minutes avec des accélérations en augmentant graduellement pour atteindre 2 tranches de 5 minutes chacune d'ici la fin de la semaine. Augmentez à 10 minutes d'ici la fin de la deuxième semaine. Ajoutez 4 séances d'exercice structuré cardio à chaque semaine, l'une d'elles étant moins intense et plus tonifiante et visant votre propre morphologie. Veillez à inclure l'exercice de réduction de la taille à au moins 3 de ces séances, chaque semaine.

Objectifs d'alimentation saine : Pour les femmes, entre 1 500 et 1 800 calories et pour les hommes, entre 1 600 et 2 000 calories. Suivez les conseils de la page 87 et surveillez vos portions. Respectez un double « couvre-feu pour les glucides » 3 des 7 jours de cette semaine. Prenez un bon petit-déjeuner chaque jour.

2 SEMAINES 3 ET 4

Objectifs d'activité physique : 10 000 pas par jour, ainsi qu'une marche avec des accélérations pendant au moins 10 minutes chaque jour, divisée en 2 tranches de 5 minutes, une le matin et une autre plus tard en fin de journée.

Ajoutez 4 séances de cardio chaque semaine, choisissez un exercice selon votre morphologie et faites-le 3 fois pendant la troisième semaine et 4 fois pendant la quatrième semaine, avec votre séance d'exercice structuré.

Si possible, ajoutez une cinquième séance d'un entraînement plus doux et tonifiant. Ajoutez l'entraînement d'affinement de la taille au moins 4 jours de chaque semaine.

Objectifs d'alimentation saine : Les mêmes que pour la phase 1, mais respectez un double « couvre-feu pour les glucides » 4 des 7 jours de la troisième semaine, et 5 des 7 jours de la semaine 4.

MAINTENEZ VOTRE NOUVEAU POIDS !

Objectifs d'activité physique : Vos 10 000 pas par jour doivent devenir la base même de votre nouveau mode de vie. Faites vos marches avec des accélérations au moins deux fois par jour et 4 séances d'exercice structuré chaque semaine. Si vous manquez de temps, essayez tout de même de faire au moins deux séances à intervalles, de faire de votre troisième séance la plus longue et votre quatrième plutôt une séance de tonification et d'étirement.

Objectifs d'alimentation saine : Augmentez graduellement votre apport en calories jusqu'à la quantité qu'il vous faut (voir page 87). Contrôlez vos portions, suivez les conseils sur l'alimentation saine et buvez 2 litres d'eau par jour. Respectez le « couvre-feu pour les glucides » deux fois par semaine pour rester sur la bonne voie.

Plan
d'action
en
famille

L'importance de l'exercice

Les enfants viennent au monde avec un désir inné de bouger. Leur besoin d'activité et de mobilité se manifeste dès qu'ils se déplacent à quatre pattes. Donc, le fait qu'en grandissant leur besoin d'activité soit graduellement remplacé par des jeux vidéos sédentaires et des heures d'immobilité devant l'ordinateur donne vraiment à réfléchir. Les aliments que nos enfants consomment ont une incidence sur leur poids, mais leur degré d'inactivité aussi. Ils risquent d'être victimes d'un surpoids et de problèmes liés à l'obésité à l'âge adulte. Heureusement, il n'est jamais trop tard pour leur faire quitter le canapé et les emmener jouer dehors !

La meilleure façon d'assurer un poids santé chez à vos enfants passe par l'exercice – en grande quantité et régulièrement – jumelé à une saine alimentation. Or, en impliquant toute la famille, vos enfants ont plus de chances de rester motivés et d'y prendre plaisir. Il ne s'agit pas nécessairement d'un sport d'équipe, d'un cours de danse ou de natation. Réservez-vous du temps chaque jour pour aller promener le chien avec eux ou pour une petite joute informelle de soccer en début de soirée. Commencez tout doucement, et ajoutez de nouvelles activités graduellement. Même garer votre auto un peu plus loin des magasins fera une différence : vous ferez une petite marche avec vos enfants et ils ne s'en rendront même pas compte !

OUBLIEZ LES ACTIVITÉS SÉDENTAIRES

En tant que parent coincé par le temps, le travail, la vie de famille et les occupations ménagères, prendre le temps de faire de l'exercice constitue tout un défi. L'exercice est souvent perçu comme une obligation plutôt qu'un plaisir et se retrouve en fin de liste des choses à faire. C'est pire lorsque les parents confondent activité physique avec activité « mentale » ou « géographique ». Peu importe ce qui vous tient occupé et augmente votre fatigue, la vie moderne est sans contredit épuisante, et l'idée d'ajouter de l'exercice à l'équation peut être très éprouvante.

L'INFLUENCE DE LA TÉLÉ

Les enfants doivent relever tout un défi lorsqu'il s'agit d'être actif physiquement. Leur désir inné de bouger a été éclipsé par des activités sédentaires auxquelles nous les avons parfois incités nous-mêmes afin de se ménager quelques moments de tranquillité. Ils sont particulièrement vulnérables face aux médias qui, sans participation physique, leur offrent des sensations fortes comme les consoles de jeux, les ordinateurs et la télévision à canaux multiples. Selon des recherches, mise à part l'école, les enfants consacrent plus de temps à regarder la télévision qu'à participer à toute autre activité, sauf dormir, les tout-petits étant les plus touchés. On dit même qu'en diminuant de sept heures par semaine le temps qu'un enfant passe devant la télé, son risque de devenir obèse serait réduit de 30 pour cent.

OBTENIR DE L'AIDE

Si votre enfant a un surpoids ou est obèse, vous devez obtenir l'avis d'un expert avant de lui faire entreprendre un programme de conditionnement physique ou de changer son alimentation. Par définition, une alimentation saine exclut seulement les aliments malsains, tandis qu'un programme d'entraînement visant les enfants doit être conçu pour les garder actifs plutôt que de leur imposer des objectifs potentiellement impossibles à atteindre. Ne poussez pas les choses à l'extrême. La grande majorité des enfants prendront plaisir à participer au nouveau mode de vie de la famille.

Or, certains enfants qui affichent un surplus de poids ont réellement un problème physiologique au sujet duquel votre médecin doit vous conseiller. Si vous avez de la difficulté à motiver votre enfant à modifier ses habitudes alimentaires ou à incorporer un peu d'activité physique à son quotidien, la plupart des cliniques médicales ont des infirmières qui peuvent vous aider. Votre médecin peut aussi vous adresser à l'un des nombreux organismes et programmes pour enfants ayant un surpoids.

L'INFLUENCE DES PARENTS

Le poids du parent biologique d'un enfant constitue l'indice le plus fiable quant à son poids à l'âge adulte. Bien que l'hérédité entre en ligne de compte, la plupart des experts s'entendent pour dire qu'il y a d'autres facteurs que nos prédispositions biologiques pour expliquer la taille de notre corps. Si vous présentez vous-même un surpoids ou que vous êtes obèse, les risques que votre enfant ait un excès de poids à l'âge adulte sont 80 pour cent plus élevés que ceux de l'enfant dont les parents ont un poids normal. Si, d'autre part, vous vous gardez en forme, les chances que vos enfants soient actifs physiquement sont six fois meilleures.

L'EXERCICE ET LES ENFANTS : QUELS SONT LEURS BESOINS ?

On recommande généralement 60 minutes d'exercice physique par jour pour les enfants, ainsi que des activités conçues pour améliorer la santé des os, la force musculaire et la souplesse, au moins deux fois par semaine. Or, seulement 15 minutes d'exercice améliorent l'humeur. Planifions ensemble de quelle façon vos enfants peuvent atteindre cet objectif.

DONNER LE COUP D'ENVOI

Si vous songez à instaurer des changements à la maison, gardez certaines choses à l'esprit. Avant d'inciter votre enfant de faire un peu de jogging avec vous, souvenez-vous que les enfants ne sont pas des adultes miniatures – leur réaction physiologique à l'exercice diffère de la vôtre.

Le système cardiovasculaire d'un enfant s'apparente davantage à celui d'un sprinter qu'à celui d'un athlète d'endurance. Les enfants jouent par à-coups, avec des pointes d'énergie ; le jogging est en réalité physiquement plus difficile pour lui, ce qui peut lui laisser l'impression que l'exercice est un fardeau plutôt que quelque chose d'agréable à faire. Adonnez-vous à des activités qui conviennent à son corps.

POURQUOI
NE PAS ESSAYER :

- Des jeux de sprint et de course.
- Des défis, comme maintenir une balle ou un ballon dans les airs.
- Des jeux actifs au terrain de jeu avec ou sans l'aide des modules de jeu.
- Des sports comme le football (soccer), le baseball, le cricket ou même le patin à roues alignées – n'importe quoi qui capte leur attention et les fait bouger.
- Prendre des pauses lorsque l'intérêt faiblit – jouer sur les balançoires ou les glissoires, ou nourrir les canards.

Accordez-vous une bonne heure d'activité physique avec eux.

SI VOUS MANQUEZ
DE TEMPS...

Une étude américaine révèle que 85 pour cent des travailleurs sont à leur poste de 9 à 5, tandis que 37 pour cent des parents travaillent le soir et les fins de semaine (un pourcentage qui, d'ici 2020, devrait avoir doublé). Dans ce cas, en tant que parent, songez à une ou plusieurs personnes avec qui vos enfants pourraient passer du temps lorsque vous n'êtes pas disponible et transmettez-leur vos attentes.

Vous pouvez également inscrire vos enfants à un club d'activités parascolaires qui met l'accent sur les sports ou d'autres passe-temps impliquant le mouvement : natation, gymnastique, danse, tennis, cirque, trampoline... Les choix sont multiples. Souvenez-vous que tout, vraiment tout, renforce le type de comportement que vous favorisez ! S'ils prennent l'habitude de l'activité physique en bas âge, il y a fort à parier qu'ils deviendront des adultes actifs et en santé.

ORGANISATION DES ACTIVITÉS FAMILIALES

Déterminez de courtes périodes sur 24 heures pendant lesquelles vous pouvez être plus actifs. Remplissez le tableau d'activités sur 24 heures ci-contre pour chaque enfant (demandez-leur de participer s'ils sont assez vieux).

C'est parfois étonnant ; il a été démontré que nous surestimons de 51 pour cent notre degré d'activité physique. Même si vous avez déjà rempli le tableau de la page 15, refaites-le avec votre enfant afin qu'il sente que vous faites quelque chose ensemble.

Ensuite, déterminez les moments où vous pouvez ajouter au moins 10 minutes d'activité physique. Listez toutes les activités familiales qui vous intéressent. Listez ensuite toutes les activités sédentaires qui occupent votre enfant,

et faites une session de remue-méninges pour trouver des alternatives. Il ne s'agit pas d'éliminer toutes les activités sédentaires de votre enfant, mais plutôt de lui fournir une variété d'activités qui lui plaisent. Et l'accent doit être mis sur la notion du plaisir. Aucun enfant ne voudra renoncer à une partie de Playstation pour aller faire quelque chose de moins amusant !

Parmi toutes les activités que vous avez choisies pour vous-même au chapitre 2, lesquelles peuvent impliquer toute la famille ? Misez sur celles-ci les soirs et les fins de semaine lorsque votre enfant n'est pas à l'école et laissez-le y prendre part. Il est important que vos enfants apprennent l'importance de l'exercice ; ils auront encore plus envie d'y participer s'ils savent que vos activités peuvent facilement les inclure.

TABLEAU D'ACTIVITÉS SUR 24 HEURES – LES ENFANTS

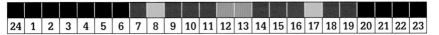

24	1	2	3	4	5	6	7	8	9	10	11	12	13	14	15	16	17	18	19	20	21	22	23

Coloriez en :

- noir le temps passé en position allongée (lire au lit ou étendu sur le canapé)
- rose le temps passé à des activités sédentaires (dans un véhicule, devant la télé ou l'ordinateur, et même à manger)
- orange le temps passé debout (à marcher jusqu'à l'école, par exemple)
- jaune le temps consacré à des exercices de renforcement musculaire et de résistance (natation, etc.)
- vert le temps consacré à des activités physiques à intensité modérée (marche rapide, etc.)
- mauve le temps passé à faire de l'exercice à intensité élevée (tennis, hockey, etc.)

TABLEAU D'ACTIVITÉS SUR 24 HEURES – LES PARENTS

24	1	2	3	4	5	6	7	8	9	10	11	12	13	14	15	16	17	18	19	20	21	22	23

Coloriez en :

- noir le temps passé en position allongée (lire au lit ou étendu sur le canapé)
- rose le temps passé à des activités sédentaires (au travail, dans un véhicule, devant la télé ou l'ordinateur, et même à manger)
- orange le temps passé debout (cuisine ou des travaux ménagers)
- jaune le temps consacré à du travail de musculation ou de résistance (comme soulever des objets très lourds)
- vert le temps consacré à des activités physiques à intensité modérée (marche rapide, etc.)
- mauve le temps consacré à l'exercice à intensité élevée (jogging, etc.)

FAMILLE EN ACTION : LA SOIF !

Les enfants n'ont pas la capacité de reconnaître la soif. Par temps chaud, après des périodes d'activités, ou même pendant une longue journée à l'école, ils peuvent souffrir de déshydratation, mais ils confondent soif et faim. Les boissons sucrées et gazéifiées ne font qu'ajouter des calories. Si votre enfant refuse de boire de l'eau sans saveur, ajoutez-y un peu de jus d'orange ou de raisin..

Les exercices structurés pour les enfants

En faisant de l'exercice structuré, chaque semaine ou chaque jour, les enfants apprennent à planifier leur horaire ; l'exercice devient alors la norme plutôt qu'une façon de perdre du poids ou de le maintenir. Ils apprennent aussi à développer de précieuses habiletés et, s'ils sont prêts, à participer à des compétitions et à du travail d'équipe.

LE YOGA

Le yoga est un outil fort utile pour relever plus facilement les défis de la vie. Le yoga favorise l'acceptation de soi, améliore l'estime de soi, réduit les tensions, aide à la détente, favorise le sentiment de calme et améliore le sommeil et la concentration, ce qui encourage la coopération, la compassion et le sentiment d'épanouissement. Du point de vue physique, il améliore la souplesse, la force, la coordination et la prise de conscience de son corps. Il est très important de trouver un cours conçu pour le bon groupe d'âge des enfants et supervisé ou donné par une personne d'expérience.

LE RENFORCEMENT MUSCULAIRE

Les exercices de renforcement musculaire sont sécuritaires pour les enfants d'environ 9 ou 10 ans – ils bénéficieront de muscles, d'os et de ligaments renforcés. Une étude menée auprès d'enfants de 9 et de 10 ans a démontré que la densité osseuse de ceux qui faisaient des exercices de résistance et aérobiques avait augmenté d'environ 6,2 pour cent comparativement à 1,4 pour cent chez ceux qui n'en faisaient pas. En plus de stimuler leur métabolisme et de favoriser leur sentiment de confiance en soi, les exercices semblent avoir réduit jusqu'à 50 pour cent le nombre de blessures causées par d'autres activités physiques. Il est important de veiller à ce que votre enfant bénéficie d'une supervision adéquate, qu'on lui apprenne comment bien utiliser l'équipement et comment faire ses échauffements et sa récupération. Une séance d'exercices de renforcement de 20 minutes bien adaptés et supervisés insérée entre 10 minutes d'activités d'échauffement et de récupération peut être entreprise deux à trois fois par semaine, tous les deux jours.

LES EXERCICES EN MILIEU AQUATIQUE

La plupart des enfants adorent l'eau, et s'amuser dans l'eau sans contrainte peut leur être aussi bénéfique que des cours de natation. L'eau est très thérapeutique à plusieurs niveaux ; elle constitue également un milieu tactile non agressant qui peut calmer les tempéraments les plus fougueux et donner du courage aux plus timides. La résistance de l'eau permet de faire de l'exercice équilibré à faible impact pour tonifier le corps et améliorer l'endurance musculaire, la forme cardiovasculaire et la stabilité du tronc. De plus, le fait qu'il soit capable de nager pourrait un jour sauver la vie de votre enfant ! Si votre enfant est gêné d'être en maillot de bain, emmenez-le à la piscine à un moment où il y a moins de monde (ou inscrivez-le à un cours pour enfants qui font de l'embonpoint), et choisissez-lui un maillot qui n'est pas trop moulant.

LES SPORTS
ET AUTRES ACTIVITÉS

En dépit des difficultés que peut
comporter la compétition ou le travail
d'équipe pour un enfant souffrant
d'embonpoint, les habiletés qu'il
développe peuvent prévenir le risque qu'il
devienne une source de moquerie à
l'école et lui donner un sentiment de
fierté. Choisissez cependant des activités
que votre enfant a envie d'essayer. Que
pensez-vous de l'escalade, de la planche
à roulettes, du tai-chi, du kickboxing, du
ski ou même de la danse de ligne ? Tant
et aussi longtemps que votre enfant
apprécie l'activité à laquelle il s'adonne et
qu'il fait de l'exercice par la même
occasion, tout est possible.

Les sports d'équipe peuvent améliorer
grandement l'estime de soi d'un enfant
aux prises avec un problème de poids.
Offrez-lui quelques sessions de coaching
supplémentaires au début afin de lui
donner une longueur d'avance (et même
la possibilité de se surpasser !). Rappelez-
lui que le fait de faire de l'embonpoint ne
signifie pas qu'il n'a pas d'habiletés ou
qu'il n'est pas sportif. Le surpoids rend
les choses un peu plus difficiles ; mais la
motivation et la joie qu'il peut ressentir
à évoluer dans un environnement
enrichissant et du sentiment
d'appartenance n'ont pas de prix !

Glossaire

Abdominaux – Le groupe musculaire situé dans la partie avant du corps. Communément appelés « abdos ».

Acide lactique – Un produit issu de la production d'énergie anaérobique qui entraîne une fatigue musculaire.

Acides gras oméga-3 – Une forme de gras que l'on trouve dans les poissons gras et les graines de lin et de citrouille.

Calorie ou kilocalorie (kcal) – Quantité de chaleur énergétique requise pour augmenter de 1 °C la température de 1 kg d'eau, utilisé couramment pour mesurer l'énergie fournie par les aliments.

Capacité aérobique – La capacité du corps d'absorber de l'oxygène au niveau cellulaire et de produire de l'énergie.

Cholestérol – Une substance grasse qui se trouve dans le sang et les tissus corporels ainsi que dans les produits d'origine animale. Essentiel à la production de certaines hormones, mais son accumulation sur les parois des artères résulte en leur rétrécissement (athérosclérose).

Connexion côte-hanche – Technique qui aide à la contraction abdominale avant un redressement et assure une bonne position anatomique de la colonne.

« Couvre-feu pour les glucides » – Pas de pain, pâtes, riz, pommes de terre ou céréales après 17 heures.

Diabète – Une maladie métabolique caractérisée par un défaut absolu ou relatif de la sécrétion d'insuline qui entraîne une incapacité du corps à métaboliser les glucides de façon normale.

Écart énergétique – Brûler plus de calories par le biais d'activités que vous en accumulez en consommant des aliments et des boissons. La seule façon de perdre du poids !

Effet thermique de l'exercice – L'énergie dépensée lors d'une activité physique.

Effet thermique des aliments – La hausse de la dépense énergétique à la suite de l'ingestion d'un repas.

Entraînement musculaire – voir Exercice de résistance.

Entraînement par intervalles – Des intervalles d'effort courts à intensité élevée en alternance avec des périodes de repos ou d'un intervalle de récupération à intensité basse. Par exemple : une course de 100 mètres suivie d'un repos d'une minute, 8 répétitions.

Exercice cardiovasculaire (cardio) – Implique de faire bouger votre corps en sollicitant les plus importants groupes musculaires. Utilise l'oxygène comme source d'énergie, ce qui permet de renforcer le cœur, les poumons et le système circulatoire.

Exercice de port de poids – Exercices qui tonifient et utilisent le poids de votre corps tels que Pilates et yoga.

Exercice de résistance – Requiert qu'une force soit exercée pour vous permettre de déplacer ou d'appliquer une tension à un poids quelconque, ce qui améliore la force musculaire et l'endurance.

Exercice structuré – Requiert que vous chaussiez vos souliers de course, déterminiez un moment de la journée pour vous entraîner et bien transpirer.

Extension – Un mouvement en ligne droite fait à partir d'une articulation et qui consiste à faire bouger deux sections d'un membre afin de former une ligne droite, augmentant ainsi l'angle de l'articulation. Par exemple : redresser le bras. Le contraire d'une flexion.

Fibres – Les fibres alimentaires proviennent essentiellement des parois cellulaires des végétaux. Il existe deux types de fibres : les solubles et les non-solubles.

Flexion – Un mouvement fait à partir d'une articulation et qui consiste à rapprocher les os d'un côté et de l'autre de celle-ci. Par exemple : plier le bras. Le contraire d'une extension.

Glucose – Un sucre simple ; tous les glucides sont utilisés sous cette forme comme principale source d'énergie du corps.

Glucides (simples et complexes) – Nutriments essentiels qui fournissent de l'énergie au corps. Les sources alimentaires de glucides sont les sucres (simples) et les grains, le riz, les pommes de terre et les légumineuses (complexes). 1 g de glucides = 4 kcal. Pour plus d'information, reportez-vous à la page 83.

Glycogène – La forme que prend le glucose emmagasiné dans le foie et les muscles.

Gras (saturés, polyinsaturés, monoinsaturés, trans et hydrogénés) – Un nutriment essentiel qui fournit de l'énergie, se constitue en réserve et agit comme isolant du corps. 1 g de gras = 9 kcal.

Hormones – Messagers chimiques obtenus par synthèse, stockés et relâchés dans le système sanguin par les glandes endocrines.

Hydratation – La quantité d'eau dans le corps.

Hypertension – Élévation de la pression artérielle (au-dessus de 140/90 mm de Hg).

Indice de masse corporelle – Une mesure relative du poids du corps par rapport à sa taille utilisée pour classifier les degrés d'obésité.

Indice glycémique – Catégorise un aliment en fonction de sa capacité à élever les niveaux de glucose et pendant combien de temps.

Insuline – Une hormone qui aide le corps à utiliser le glucose dans le sang.

Insulinorésistance – Se produit lorsque la quantité normale d'insuline sécrétée par le pancréas ne suffit pas à maintenir un taux de glucose normal dans le sang. Lorsque les cellules du corps résistent ou ne répondent pas à des taux encore plus élevés d'insuline, du glucose s'emmagasine dans le sang et mène à une glycémie élevée ou même à un diabète de type 2.

Intensité d'exercice – Le stress physiologique subi par le corps pendant un effort physique. Indique le degré de difficulté auquel le corps devrait travailler afin d'obtenir un effet de conditionnement.

Métabolisme – Les processus chimiques et physiologiques du corps qui fournissent l'énergie requise pour le maintien de la vie.

Métabolisme de repos – Le nombre de calories brûlées par unité de temps lorsque vous êtes au repos. Mesuré tôt le matin après un jeûne pendant la nuit et au moins 8 heures de sommeil.

Moniteur cardiaque – Appareil composé d'une sangle pectorale comportant des électrodes qui captent la fréquence cardiaque (et non le pouls) et transmettent le signal à une montre à affichage numérique.

Nutriments (et micronutriments) – Substances essentielles au maintien de la vie et que l'on trouve dans les aliments. Elles fournissent au corps l'énergie et les matériaux structuraux, régulent la croissance, le maintien et la réparation des tissus corporels.

Obliques – Une partie des muscles abdominaux. Les muscles obliques se trouvent en position diagonale sur le torse et forment votre taille.

Perception de l'effort – Méthode utilisée pour réguler l'intensité d'un entraînement d'endurance aérobique. L'estimation est enregistrée numériquement par votre propre perception de l'effort que vous effectuez.

Podomètre – Un appareil simple que vous fixez à votre ceinture pour tenir compte de chaque pas que vous faites par l'entremise d'un dispositif de détection du mouvement de la hanche.

Position neutre – La région lombaire et le bassin en position centrale, non fléchis, non allongés, non inclinés, non tournés. La meilleure position pour avoir une bonne posture.

Pression artérielle – La pression exercée par le sang sur les parois des artères, mesurée en millimètres de mercure par un sphygmomanomètre (ou tensiomètre).

Probiotiques – Bactéries vivantes que renferment certains yogourts et consommées couramment pour améliorer la flore intestinale et, par conséquent, la digestion.

Thermogenèse – Dépense énergétique accrue pour la production de chaleur.

PETITS PAS, GRANDS CHANGEMENTS

Que vous souhaitiez améliorer votre santé, votre condition physique ou marcher pour perdre des kilos en trop, un podomètre est LE dispositif qu'il vous faut. Il en existe plusieurs modèles sur le marché à des prix variés et comportant différentes fonctions.

Certains modèles sont plus précis et faciles à utiliser que d'autres. Certains offrent, en plus du nombre de pas effectués, le calcul des calories, le temps consacré à l'exercice et l'intensité de votre activité. N'hésitez pas à demander conseil lors de l'achat de votre podomètre, car ce dernier deviendra rapidement votre meilleur allié !

J'ai également créé mon propre podomètre, en association avec UK Pedometers. Il en existe quatre modèles différents et il est possible de les commander directement du site www.pedometersuk.co.uk (en anglais seulement).

Index